DIT KAN NIET WAAR ZIJN

JORIS LUYENDIJK

Dit kan niet waar zijn

Onder bankiers

Uitgeverij Atlas Contact
Amsterdam/Antwerpen

Eerste druk februari 2015
Tweede druk februari 2015
Derde druk februari 2015
Vierde druk februari 2015
Vijfde druk maart 2015
Zesde druk maart 2015
Zevende druk maart 2015
Achtste druk maart 2015

© 2015 Joris Luyendijk
Omslag Bart van den Tooren
Omslagbeeld MPS Helicopters
Foto auteur Fjodor C. Buis
Typografie binnenwerk Perfect Service, Schoonhoven
Drukkerij Wilco, Amersfoort

ISBN 978 90 450 2816 3
D/2015/0108/552
NUR 740

www.jorisluyendijk.nl
www.jorisluyendijk.be
www.atlascontact.nl

Voor wijlen Gerd Baumann, die me leerde dat nieuwsgierigheid genoeg is.

Met speciale dank aan Toon van de Put

Here come bad news
talking this and that
Well, give me all you got
and don't hold it back
Well, I should probably warn you
I'll be just fine
No offense to you
don't waste your time
– Pharrell Williams, 'Happy', 2013

'De enige samenzwering in de financiële wereld
is het geluid van de stilte.'
– Philip Augar, *The Greed Merchants*, 2005

Inhoud

Inleiding

Je zit in een vliegtuig. Het bordje STOELRIEMEN VAST is uit, de stewardess heeft je net een drankje gebracht en nu twijfel je tussen het *inflight entertainment* of toch dat spannende boek. De man naast je nipt aan zijn whisky, je kijkt door het raampje naar de ondergaande zon, en dan zie je in een van de motoren plotseling een gigantische steekvlam.

Je stoot je buurman aan en roept de stewardess, die na enige tijd verschijnt en meldt dat er inderdaad wat technische problemen zijn geweest, maar dat alles weer in orde is. Ze oogt zo kalm en zelfverzekerd dat je het bijna gelooft, maar je wurmt je toch langs je medepassagiers naar het gangpad, waar eerst de stewardess en dan de purser je tegenhoudt, allebei met de boodschap: Gaat u alstublieft terug naar uw plaats. Je duwt ze opzij en weet de deur van de cockpit te grijpen, je krijgt hem open en daar zit niemand.

De afgelopen jaren sprak ik voor de Britse krant *The Guardian* met ruim tweehonderd mensen die werken of tot voor kort werkten in de City, het financiële centrum van Europa in Londen. Het zijn zeer uiteenlopende verhalen, maar als ik de strekking in één beeld moet samenvatten, dan is het die lege cockpit.

Het begon op een mooie meidag in 2011, toen *Guardian*-hoofdredacteur Alan Rusbridger me uitnodigde in zijn charmant-chaotische kantoor tegenover het St. Pancras International Trainstation in Londen.

Ik woonde toen in Amsterdam, waar ik enige tijd terug op een conferentie over journalistieke innovatie met Rusbridger in gesprek was geraakt. Het ging over de vraag waarom mensen vaak zo weinig *belangstelling* tonen voor onderwerpen die hun eigen *belang* direct raken. In veel talen zijn die woorden verwant, en het Engels heeft er zelfs een en hetzelfde woord voor: *interest*.

Zou het kunnen dat veel onderwerpen zo ingewikkeld zijn geworden dat het nieuws erover alleen nog voor insiders te volgen is? Met die gedachte in het achterhoofd was ik voor NRC *Handelsblad* net een experiment begonnen. Ik had een ingewikkeld onderwerp gepakt waar ik nog vrijwel niets van wist, en een beginnersvraag gesteld: 'Zijn elektrische auto's een goed idee?' Dat was ik bij insiders gaan uitzoeken. Elk interview leidde tot nieuwe vragen, en zo begon door de maanden heen een 'leercurve' van verhalen te ontstaan. Insiders maakten graag tijd vrij, en lezers leken het te waarderen wanneer je begon op het kennisniveau waarop zij zitten, namelijk op nul.

Rusbridger had me destijds met typisch Engelse beleefdheid aangehoord, maar toen haalde hij me op die mooie meidag naar Londen en vroeg of ik voor *The Guardian* ook zo'n leercurve wilde doen. En dan niet over elektrische auto's, grinnikte hij besmuikt. Hij wees in de richting van de City en zei dat we letterlijk op een steenworp afstand zaten van de plek waar in 2008 de grootste paniek sinds de jaren dertig was uitgebroken. Miljarden moesten ernaartoe, maar er was niemand vervolgd en het leek bijna weer *business as usual*. Een blog over de financiële wereld, leek dat me wat?

Terwijl achter Rusbridger een Eurostar-trein richting Brussel of Parijs het station uit gleed en dichterbij Regent's Canal in de lentezon lag te schitteren, knikte ik zo hard ja als mijn nekspieren toelieten. *The Guardian* is met *The New York Times online* de grootste kwaliteitskrant ter wereld, dus met zo'n prestigieuze partij zouden insiders vast willen meewerken. En ik begreep op dat moment net zo weinig van de financiële wereld als de gemiddelde lezer, terwijl het typisch zo'n onderwerp is met een diepe kloof tussen belang en belangstelling. Zeg tegen mensen dat hun geld niet veilig is en ze spitsen de oren. Spreek de woorden 'financiële hervormingen' en je voelt hun interesse verslappen.

Met typisch Nederlandse uitbundigheid begon ik Rusbridger te bedanken voor deze kans – wist ik veel dat je met die *stiff upperlip* in Engeland niet alleen negatieve emoties hoort te onderdrukken, maar ook enthousiasme.

Daar ging ik, een als antropoloog opgeleide Nederlandse journalist van eind dertig met als voornaamste ervaring een aantal jaren in het Midden-Oosten als correspondent: *Kuifje bij de Bankiers*.

DEEL I
WAT IS HET PROBLEEM?

I
De City als Dorp

Bij de elektrische auto had het goed gewerkt om me niet vooraf uitgebreid in te lezen, maar vast te houden aan beginnersvragen. Het dwong insiders de boel begrijpelijk uit te leggen en ik dacht: Dat doen we weer.

Nu nog een beginnersvraag. Ik vroeg iedereen in Amsterdam en daarna in Londen wat zij zouden willen weten over de financiële wereld. Veel mensen bleken kwaad, maar eigenlijk kon niemand goed uitleggen waarover, laat staan dat ze wisten wat er rond het faillissement van de Amerikaanse bank Lehman Brothers in 2008 precies was gebeurd. 'Als je mij straks uitlegt hoe die wereld werkt,' zeiden ze, 'ben ik je dankbaar. Al ben ik zo'n technisch verhaal twee dagen later waarschijnlijk weer vergeten.'

'Oké,' zei ik dan, 'welke vraag houdt je zo bezig dat je het antwoord wél zou onthouden?' Dit waren moeizame gesprekken omdat velen eerst hun verontwaardiging kwijt moesten. Het is toch ongelofelijk dat wij die figuren moesten redden, zeiden ze, maar dat niemand zijn bonussen hoefde terug te betalen? Kijk om je heen hoe bij de bezuinigingen de kwetsbaarste groepen in de samenleving worden gepakt. Intussen geven bankiers zichzelf weer waanzinnige bonussen, zelfs bij banken die alleen nog bestaan dankzij onze staatssteun.

'En dus vraag jij je af...' probeerde ik het gesprek terug te leiden, waarop de meesten iets zeiden in de trant van: Hoe kunnen die mensen met zichzelf leven?

Dat leek een mooie beginnersvraag aan insiders – iets subtieler geformuleerd misschien.

Zodra mijn verhuizing naar Londen was afgerond, pakte ik mijn adresboek en benaderde vol goede moed iedereen van wie ik wist dat ze iemand in de City kenden: 'Wil jij jouw kennis, vriend, familielid, geliefde vragen of die een interview wil geven?'

Zoiets duurt natuurlijk even, dus had ik tijd om mijn nieuwe stad te verkennen. Onbewust had ik Londen ingedeeld in de categorie Berlijn en Parijs: de hoofdstad van een groot Europees land. Maar Londen is groter dan Berlijn en Parijs *samen* en Londenaren vergelijken zichzelf duidelijk liever met New Yorkers. Er is zelfs één bijnaam voor beide steden: NyLon.

Ik ging wandelen en merkte direct dat 'de City' geen goede term meer is. In de financiële sector in Londen werken tussen de 250 000 en 350 000 mensen. Dat zijn een heleboel banen, en die zijn op meer dan één plek gaan samenklonteren. Je hebt de chique en ingetogen buurt Mayfair in het westen van de stad bij Piccadilly Circus. Dan is er de 'Square Mile', ofwel de historische 'City' rondom metrostation Bank, met iconen als St. Paul's Cathedral, de Engelse Centrale Bank en het schitterende voormalige beursgebouw. Meer de stad uit richting City Airport ligt Canary Wharf, een voormalige haven, waar steeds meer banken en financiële dienstverleners hun torenhoge hoofdkwartier neerzetten. Het is privéterrein met glimmende nieuwbouw en aangeharkte plantsoenen, een gigantisch winkelcentrum en overal camera's. De eigenaar bepaalt wie er mag filmen, fotograferen of demonstreren.

De antwoorden van financiële insiders die ik via via had benaderd lieten op zich wachten, en toen ik me al enigszins zorgen begon te maken, maakte ik op een borrel van iemand die ik nog kende uit Jeruzalem kennis met 'Sid'. Hij was eind dertig, lang en breedgeschouderd, de zoon van immigranten. Na een carrière als handelaar bij grote banken was hij met collega's net een eigen *brokerage firm* ofwel beursmakelaardij begonnen: een bedrijf dat op commissiebasis voor klanten aan- of verkopen doet op de beurs. De City voor buitenstaanders begrijpelijk maken vond hij 'hard nodig', zei hij hartelijk. Waarom kwam ik niet een dagje meelopen? Ik kon hem alleen niet herkenbaar opvoeren. 'Klanten zouden niet begrijpen dat wij met de pers praten.'

Daar stond ik in alle vroegte op Sids kantoor in het historische hart van de City. Hij had al verteld dat er in de financiële wereld een scherpe scheidslijn loopt tussen mensen wier werkritme wordt gedicteerd door de beurs, ofwel 'de markten', en de rest. Wie 'in de markten' zit begint zeer vroeg, luncht aan het computerscherm en loopt in de late namiddag of vroege avond het gebouw weer uit. De rest begint minder vroeg en zit niet vast aan een scherm, maar gaat wel tot laat door. Als je in de markten werkt, kan je de kinderen 's avonds zien; de rest ziet ze 's ochtends.

'Ga even iets voor jezelf doen,' zei Sid. 'Ik maak mijn *note to investors* af. Die moet voor halfacht de deur uit.' Hij liep naar zijn bureau, een manshoge stellage van computerschermen vol nieuwsbalken, grafieken en marktdata. Overal telefoons en tv's met financieel nieuws, en om hem heen collega's die de hele dag door dingen zouden roepen als: 'Heb je dat gezien? Goud op 1670!'

Sid rondde zijn note af en ik begon de adrenaline te voelen, als voor een cruciale voetbalwedstrijd van Oranje. Hij vertelde dat zijn note analyses en beleggingsadvies bevatte voor zijn klanten: pensioenfondsen, verzekeraars en professionele beleggers van andermans geld. Die krijgen dagelijks zeker driehonderd van zulke e-mails, schatte hij. 'In het gunstigste geval lezen ze een paar alinea's van je.' Hij concentreerde zich niet op specifieke aandelen, maar ging voor de helicopterview. De rest van de dag verzond hij commentaar en, bij nieuwe ontwikkelingen, updates van zijn note.

Als een sportcommentator met 'de beurs' als wedstrijd? Hij

fronste. 'Behalve dat ik voor de coaches en spelers in het veld schrijf, niet voor het publiek op de tribune.'

Onder zijn klanten zaten ook handelaren bij grote banken. De meesten van ons hebben zelf bij zulke banken gewerkt, zei hij. 'We weten hoe eenzaam het kan zijn. Je hebt je niche, zeg de auto-industrie. Misschien heb je één collega, plus een junior als hulpje. Dat is alles. Onze research is een klankbord voor zulke handelaren. We verspreiden brokjes inzicht waarmee ze indruk kunnen maken op hun baas.'

De beurzen gingen open en een halfuur lang was iedereen superdruk. Een vrouw die als *broker* op de beurs kopers zocht voor wat haar klanten wilden verkopen, en omgekeerd, hield haar ene oog op het scherm en het andere op *The Sun*, de tabloid sensatie-krant. 'Wat is het verschil tussen een broker en zijn klant?' vroeg ze toen ze me zag. 'De broker zegt pas *Fuck you* nádat-ie de hoorn erop heeft gelegd.'

Ik noteerde het keurig en belandde bij een man die met zijn vingertoppen tegen zijn slapen naar vier schermen vol grafieken zat te staren, soms zo ver naar voren leunend dat hij er met zijn neus tegenaan zat. Hij deed 'technische analyse'. Versimpeld: hij zocht naar trends in het koersverloop van bepaalde aandelen, en gaf op basis daarvan beleggingsadvies aan klanten.

Al op de middelbare school was hij gefascineerd geweest door de beurs, maar hij had snel ontdekt dat hij als eenvoudige puber nooit toegang zou krijgen tot *sophisticated* beleggingsadvies van figuren als Sid. Evenmin begreep hij veel van economie. Toen ontdekte hij technische analyse. Data over koersen zijn openbaar, net als boeken over financiële statistiek. Hij deed het al flink wat jaren, en zei dat zijn vak verrassend vaak neerkwam op intuïtie: het onbewust herkennen van patronen.

'Jij daar,' riep Sid naar iemand, op de toon van een man die iemand speels op diens ondergeschikte positie wijst: 'Praat eens met onze Nederlandse gast.'

Hij was eind twintig en legde grijnzend uit dat *sales guys* zoals hij mazzelaars zijn. Zij hoeven pas om halfzes op, en mensen zoals Sid om vijf uur. De broker van zonet duwde me een papiertje in de hand: 'Ernstig in de war, maar ongevaarlijk – meestal.' Grinnikend maakte de sales guy er een prop van en gooide die naar haar hoofd. 'Handelsvloerhumor.'

Hij bracht analyses van Sid, de technisch analist en andere collega's onder de aandacht van zijn klanten. Als een soort filter, omdat hij wist welke klant naar de psychologie van de beurzen keek en technische analyses wilde, en wie 'fundamenteel' dacht en juist alles wilde weten over de waarde van een bedrijf. 'Mijn klantenlijst,' zei hij, wijzend naar zijn scherm. 'De meesten volgden me toen ik voor deze firma ging werken. Ze doen zaken met een persoon, niet alleen met het bedrijf waar die persoon toevallig werkt.'

Ik vroeg hoe de zaken gingen en schrok van zijn reactie. 'Soms vraag ik me echt af waarom ik dit doe. De werktijden zijn verschrikkelijk en de inkomsten niet best.' Hij werkte op freelancebasis, en de vaste kosten waren hoog: abonnementen op financiële data, computers met drie, vier of vijf schermen, lunchen met klanten, 's avonds klanten mee uit nemen, de lunch betalen voor het hele bedrijf omdat je weer te laat bent, ergonomische stoelen... 'Voor deze baan moet je een dikke huid hebben of belachelijk optimistisch zijn. Anders stort je in of raak je aan de drank.'

De beurzen in Londen en de rest van Europa sloten, en ik kon even bijkomen. Dit was nu een – kleine – 'handelsvloer'. Wat hier plaatsvond oogde exact en ondubbelzinnig – al die cijfers op schermen –, maar ook virtueel en onwerkelijk, als een computerspel zonder gevolgen.

Iedereen rondde het digitale papierwerk af en we togen naar de kroeg. Was dit een goede dag geweest? Voor de technisch analist niet: een aantal koersen had zich anders gedragen dan hij had voorspeld. 'Morgen is er weer een dag.' Ook Sid keek sip. Hij had die ochtend een 'interventie' voorspeld door de Zwitserse Centrale

Bank. De Zwitsers hadden even later inderdaad ingegrepen, alleen was door een misverstand Sids note nooit verzonden. 'Anders hadden klanten gezien dat mijn analyse klopte en had ik gescoord. Als ze mijn note hadden gelezen, tenminste.'

*

De dag met Sid was de beste introductie tot de City die ik me had kunnen wensen, maar ook een toevalstreffer. Op mijn via via verzoeken om een interview kwam geen antwoord, of een beleefd en gedecideerd: 'Nee, liever niet.' Keer op keer. Hoe ik ook aandrong, slijmde of smeekte.

Ik sprak nog eens af met Sid, en toen kwam de aap uit de mouw: in de financiële wereld heerst een zwijgplicht, of beter: een *code of silence*. Sid en zijn maten waren eigen baas, maar wie als medewerker bij een bank of financiële instelling praat met de pers riskeert zijn baan, een schadeclaim, en de reputatie van iemand die de code schendt. Kom dan nog maar eens aan de slag. In afvloeiingsregelingen is expliciet opgenomen dat je niets over je ervaringen in de City naar buiten mag brengen.

Even dacht ik: Daar gaat je 'leercurve' met financiële insiders, maar dat was te snel gedacht. Intimidatie werkt zelden voor honderd procent en zelfs in het Irak van Saddam Hussein kon je als correspondent mensen aan het praten krijgen – mits die zich veilig voelden.

Ik bleef verzoeken sturen, nu vergezeld van garanties en beloften: Niemand zal weten dat wij elkaar gesproken hebben. Ik ben de enige met toegang tot deze mailbox en je precieze functie, bank of instelling zal nooit naar buiten komen, net zomin als je nationaliteit of etnische achtergrond.

Een nieuwe reeks afwijzingen volgde, totdat een salesmanager bij een leverancier van datamanagementservices rond fusies & overnames opeens 'ja' zei. Daarna een financieel advocaat, de manager van een *primary research*-firma, een analist bij een *private equity boutique*, een bankier in fusies & overnames en een bankier die *corporate finance* deed.

We spraken incognito af, bij hen thuis of op een plek waar de kans op collega's of oud-collega's miniem was. Het liefst neem ik interviews op, maar daar werden ze bloednerveus van, dus alles moest met aantekeningen. Mede daarom wilde ik dat ze de tekst vooraf lazen: klopte die wel? Zij wilden dat ook, en mijn zorg dat ze kritische uitspraken zouden schrappen bleek ongegrond. Het waren bijna altijd zinnetjes die mij onschuldig hadden geleken: 'Dat "prachtige uitzicht vanaf de negende verdieping" graag weghalen, anders weet iedereen binnen mijn wereldje meteen over wie het gaat.' Of: 'Niet erbij zetten dat ik 's morgens begin met een kop thee. Ik ben de enige op mijn handelsvloer die dat doet!' Sommige mensen leken zich voor hun angst te schamen en vroegen me verwijzingen naar hun zenuwen te verwijderen – een code of silence over de code of silence.

Zodra ik tien uitgewerkte interviews had, plaatste ik ze op www.guardiannews.com/jlbankingblog, vergezeld van de oproep aan insiders om in ruil voor anonimiteit te vertellen wat er in die glazen torens van ze allemaal gebeurt. 'Democratie lijkt steeds meer een systeem waarin kiezers bepalen welke politicus gaat uitvoeren wat de financiële sector dicteert,' probeerde ik extra te prikkelen. 'Wie zijn jullie?'

Toen gebeurde het. Ik had een e-mailadres aangemaakt en binnen een paar uur begon die inbox vol te lopen. De eerste tien geïnterviewden waren mannen geweest, nu stroomden ook vrouwen toe, vaak met banen waarvan ik het bestaan niet had vermoed: een *bond pricer*, die de waarde bepaalde van obligaties die zo weinig worden verhandeld dat er geen marktprijs voor is; een *insurance broker*, die rederijen die hun boten moeten verzekeren koppelde aan beleggers die zulke polissen willen verkopen; een *business investment advisor*, die banken hielp bij de invoering van technologie en nieuwe regels; een fondsenwerver bij een 'sharia-conforme' investeringsmaatschappij, die investeerders verbond aan veelbelovende ondernemers.

Met een hoofd Marketing van een grote bank dronk ik in een non-descripte koffietent bij St. Paul's Cathedral een kop groene thee. Ze was eind dertig, sprak met een *upper middle class*-accent en maakte duidelijk graag sarcastische grappen.

'Er zijn drie reacties als mensen horen waar ik werk,' zei ze. 'Teleurstelling: "Ik dacht dat je iets interessants deed." Anderen verklaren me persona non grata, of behandelen me voortaan als pinautomaat, die alles voor ze betaalt.'

Ze vertelde over 'uitputtende hoeveelheden drank' die je geacht wordt in te nemen op de vele avondjes uit met klanten of collega's, en over de moeite die sommige mannen hebben met een vrouw die meer verdient dan zij. Daar moesten we allebei om lachen, wat een goed moment leek voor de vraag hoeveel zij dan verdiende. 'Dat is heel gek,' zei ze, opeens bijna blozend, 'maar ik vind het ongemakkelijk dat hardop te zeggen.' Ze pakte een servetje en schreef: '£ 110 000.'*

Plus bonus? Ze knikte. Meestal de helft van haar salaris, plus 20 procent in opties. 'In goede jaren het dubbele. In slechte jaren nul.'

Er viel een korte stilte, waarna ze benadrukte dat zij net als veel collega's aan goede doelen gaf, wel 10 procent van haar bonus. 'En we organiseren benefieten. Dat weet de buitenwereld niet, maar intern heeft iedereen het erover: Wat heb jij gegeven? Hoeveel heeft jouw benefiet opgeleverd?' Je kan wel zeggen dat we verwend zijn, gaf ze toe. 'Vrienden van mij werken als assistent in het onderwijs. Voor twaalfduizend pond per jaar.'

---

*Een pond is ongeveer 1 euro 20.

Ze vertelde dat haar studie niets met de financiële wereld te maken had gehad. Waarom dan de City?

Haar glimlach hield het midden tussen stoer en ongemakkelijk: 'Ik voed in mijn eentje een kind op. Dan moet je een baan hebben die in zekere zin dubbel betaalt.'

Het hoofd Marketing leek niet enorm bezorgd over de code of silence, en daarin was ze echt een uitzondering. Boven vrijwel elk gesprek hing een wolk van angst en stress. Dan keek iemand me opeens recht in de ogen, perste zijn of haar gezicht in een opgewekte plooi en fluisterde: 'We staan nu op en lopen vrolijk kijkend deze zaak uit. Nu.' Op zo'n moment was er een collega binnengekomen, die kennelijk hetzelfde koffietentje gebruikte voor clandestiene ontmoetingen, bijvoorbeeld met een headhunter.

Minstens de helft haakte na het eerste e-mailcontact af, meestal door niet terug te mailen. Meer dan eens kwam iemand niet opdagen, of zegde per sms af – soms als ik al klaarzat in de koffiezaak, opschrijfboekje op schoot. Een aantal mensen trok zich ná het interview terug, bijvoorbeeld twee vrouwen die los van elkaar wilden praten over racisme, homofobie en seksuele intimidatie bij beursmakelaardijen. 'Het spijt me heel erg,' mailde de ene, 'maar nu ik zwart op wit teruglees wat ik heb gezegd, ben ik bang dat publicatie neerkomt op het schrijven van mijn eigen ontslagbrief.'

Vrouwen bleken in de regel zenuwachtiger dan mannen, en als ik dat ter sprake bracht, reageerden sommige vrouwen dat zij nu eenmaal meer oog hebben voor risico's. 'Wat heb ik er een hekel aan als ik "typisch vrouwelijk gedrag" vertoon,' verzuchtte een van hen. Een aantal mannen zei: 'Mijn vrouw verklaart me voor gek dat ik dit doe.'

'Jij hebt geen idee hoe raar dit voor mij is,' sprak een vrouw van de afdeling waar anderen zo bang voor waren: PR & Communicatie. 'Als ik nog voor de bank werkte, zouden we hier niet zitten.'

Het was zo'n vieze, regenachtige dag waarop ik vaak heimwee naar Nederland krijg, en we hadden dicht bij haar huis ergens in Londen afgesproken. Ze was midden dertig en had er ongeveer tien jaar op zitten bij een aantal toonaangevende banken.

Hoe kwam haar afdeling erachter dat iemand met een journalist had gepraat? Er zijn speciale bureaus die de media voor je bijhouden, legde ze uit. 'Soms tippen mensen binnen de bank je, zo van: Kijk dit eens.'

Betrapte bankiers worden verhoord en dan gestraft of ontslagen, vervolgde ze bijna schouderophalend. 'Ze moeten snappen dat journalisten nooit te vertrouwen zijn, ook al lijken ze nog zo aardig.' Tevreden stelde ze vast dat althans bij haar bank 'zoveel mensen waren gestraft dat ongeautoriseerd contact met de pers nauwelijks meer voorkwam'.

Ze beschreef de voorwaarden bij 'geautoriseerd contact': PR zit als getuige en scheidsrechter bij het interview. Vooraf zijn de onderwerpen afgesproken, en als de journalist daarvan afwijkt grijpt PR in: 'Leuk geprobeerd, maar daar gaat hij geen antwoord op geven.' Of beter: 'Hij kan daar niks over zeggen, maar ik kan straks proberen iets voor je te regelen met iemand anders.' Achteraf mag PR de citaten 'reinigen', wat minder sinister is dan het klinkt, benadrukte ze. 'Het gaat om dingen die verkeerd geïnterpreteerd kunnen worden. Reputatie is nu eenmaal heel belangrijk voor een bank.'

Ze vroeg of ik ooit overwogen had zelf mijn geluk in de financiële sector te beproeven, en ik antwoordde ontwijkend dat inderdaad nogal wat journalisten overstappen. Ze knikte: 'De salarissen liggen veel hoger, dat zal wel de reden zijn.' Hoewel... Misschien was er nog een reden. Ze lachte. 'Journalisten hebben vaak geen idee hoe akelig het toe kan gaan bij een bank. Geregeld kwam ik er op de gang eentje tegen die was overgestapt. De eerste zes maanden hebben ze zo'n *shell-shocked* blik van: *What the fuck?* Tja, toen ze nog journalist waren deden de bankiers juist zo aardig tegen ze.'

We grinnikten en ik zei dat ik hierom nooit interviews 'via PR' doe. Dit zou ze nooit hebben verteld als hier een collega als getuige en scheidsrechter bij had gezeten, toch? Waarom schond ze nu zelf de regel die ze jarenlang aan anderen had opgelegd?

Ze dacht even na en zei toen dat ze wilde bijdragen aan een beter geïnformeerd debat: 'En misschien ook omdat ik een carrière lang mijn mening heb ingeslikt... Vanbinnen schreeuwde ik het soms uit: Ja! Dat is precies de vraag die je nu moet stellen.' Maar dan greep ik in en stuurde het interview naar een onderwerp dat goed was voor de bank... Misschien is dit ook een biecht, zoals een goed katholiek betaamt.'

*

Hoe diep de angst bij mensen zat, bleek moeilijk over te brengen aan buitenstaanders – bijvoorbeeld aan de wetenschappers, journalisten en documentairemakers die, toen de blog een beetje begon te lopen, informeerden of zij ook eens konden praten met de geïnterviewden. Als ik zo'n verzoek doorstuurde, zeiden mensen: 'Sorry, één keer mijn baan riskeren is genoeg.'

Zo werkt de code of silence als een enorme filter op het beeld dat buitenstaanders van de City en de financiële sector krijgen. Wat een verschil met de wereld van de elektrische auto, waar insiders hadden staan te trappelen en ik zelf kon kiezen wie ik ging interviewen. In de City was ik grotendeels aangewezen op wie uit eigen beweging naar voren kwam, maar zeker in het begin werkte dat best. Want velen gaven zich juist op om de buitenwereld iets te leren. En meer nog: om misverstanden en stereotypes over de City te bestrijden.

Bijvoorbeeld dat de financiële wereld uitermate complex is. Ja, zeiden mensen, wat de wis- en natuurkundebollebozen ofwel *quants* doen, is heel ingewikkeld. Maar de rest...

De financiële wereld heeft een boel jargon, zei iemand die tot voor kort als *dealmaker* bij een grote bank fusies & overnames begeleidde. 'En dan bedoel ik: een boel. Dat moet je je eigen maken. Maar je hoeft niet briljant te zijn, je moet slim genoeg zijn.' Hij was begin dertig, afkomstig uit Oost-Azië, en sprak met de beleefde onverstoorbaarheid die veel alumni van Amerikaanse eliteuniversiteiten zich eigen maken. Bij een feitelijke onjuistheid mijnerzijds zei hij: 'Actually, no...', tegen een onjuiste bewering ging hij in met: 'I think I'd challenge the premise in what you just said.'

Een carrière in de City beschreef hij als 'voor een deel duursport', en dat waren velen met hem eens. Het hoofd Marketing dat liever niet hardop zei hoeveel ze verdiende, benadrukte dat velen er gewoon in rollen: 'Soms moet je interne opleidingen volgen om technische dingen te snappen. Bij mijn eerste sollicitatie wist ik niet eens het verschil tussen aandelen en obligaties. Wat je nodig hebt in de City is geloof in jezelf.'

Wij zijn echt niet allemaal raketgeleerden, zeiden mensen, en miljonairs zijn we al helemaal niet. Een *interdealer broker* die al jaren op een handelsvloer werkte sprak namens velen toen hij zei: 'De treurige waarheid is dat misschien 5 procent in de City echt geld verdient. De rest krijgt meer dan mensen met eenzelfde opleidingsniveau elders, maar werkt ook meer. Hoe dat gaat: ik zit aan mijn bureau en kijk naar mijn baas. Hij heeft miljoenen op de bank, een paar auto's en een eigen vliegtuig, een hotel aan de Middellandse Zee. Mijn baas is niet slimmer dan ik. Waarom hij wel en ik niet? Dus ik teken weer een jaar bij, wachtend op de klapper. Zo gaat het. Die 95 procent weet dat slechts een kleine groep het grote geld pakt. Dagelijks word je geconfronteerd met die figuren, van dichtbij. Je gaat denken: Dat kan ik ook.'

'Het is een doodnormale kantooromgeving bij ons,' zei een interne boekhouder van eind twintig bij een grote bank. 'Totaal niet overbetaald – wij niet althans. In een andere branche zou ik misschien 10 procent minder verdienen. Hooguit.'

Toen ze afstudeerde, was haar geadviseerd bij een bank te beginnen; als accountant kon je daarna overal aan de slag. Dat was vóór de crisis. Al een tijd zocht ze naar werk buiten de sector. Laatst kwam er een baan langs waarvoor ze volgens haar *job coach* het perfecte cv had. Ze was niet eens uitgenodigd voor een gesprek. Het bedrijf wilde geen accountant van een bank, had haar job coach achterhaald. Die zou niet in de cultuur passen. 'Ze hadden me nooit ontmoet,' zei ze bitter. 'Pure vooroordelen.'

Op datingsites liet ze tegenwoordig weg waar ze werkte. 'Anders maak je gewoon geen kans.'

Elk interview hielp me van een klein of groter cliché over de financiële wereld af, en intussen leerde ik bij – dat de sector veel groter is dan 'de' banken, en wat een diepe kloof er gaapt tussen 'zaken-' en 'consumentenbankiers'.

Een jonge *restructurer* die bedrijven in financiële problemen zo probeerde te saneren dat ze niet failliet gingen – en de leningen van zijn bank alsnog zouden afbetalen –, bleef er maar op hameren hoezeer zijn werk verschilde van het 'zakenbankieren'. Daar had hij korte tijd gewerkt, op een handelsvloer. Het was niks voor hem: 'Binnen restructuringteams heb je echte kameraadschap. En geen dikdoenerij. Niet zoals bij de zakenbanken, waar je als junior niets hebt in te brengen. Bij ons luidt het motto: "Niemand is groter dan het team, en iedereen komt aan de beurt om koffie te halen."'

'Handelaren en dealmakers bij zakenbanken vinden project-financiering saai,' gnuifde de vrouw met wie ik kort voor de kerst in een restaurant aan de Thames kon afspreken. 'Zij zitten in een glazen gebouw in hun telefoons te schreeuwen, starend naar cijfers op een scherm. Ik kom in heel Europa, Rusland, Azië, Saudi-Arabië – in mijn eentje. Voor de opening van een zonnepanelenpark, een olieraffinaderij. Wie heeft hier de saaie baan?'

Het was ijskoud die dag en de City was onherkenbaar: even nergens beheerst gehaaste mannen en vrouwen in pak, en overal warm aangeklede toeristen. Ze was eind twintig, *working class*, en had een exacte academische achtergrond. Terwijl de ober een groot bord wentelteefjes met aardbeien bracht, legde ze uit hoe het werkt in 'projectfinanciering'. Een overheid wil een school laten bouwen, of een brug, elektriciteitscentrale of vliegveld. Allerlei bedrijven komen dan samen in consortia, want niemand heeft alle expertise in huis; een bouwbedrijf weet hoe je een tolbrug neerzet, maar niet hoe je 'm exploiteert, wat weer een ander vak is dan onderhoud of financiering. De overheid schrijft een *tender* uit waarop de consortia bieden, het winnende consortium voert het project uit.

Veel mensen in de City werken aan een stukje van een 'deal', zei ze tussen twee wentelteefjes door, en geven dat door aan iemand die weer een stukje doet. 'Ik doe een heel project en als ik door het land rij, denk ik: Die tolweg is van mij, daar staat mijn school, mijn politiebureau.'

Ooit had ze stage gelopen op de handelsvloer van een zakenbank: transacties van handelaren verwerken. 'De hele dag werd er tegen me geschreeuwd, vaak over dingen die zij zelf fout hadden gedaan. Een goede handelaar moet assertief zijn en snel reageren. Dat gaat hun houding tegenover andere mensen beïnvloeden. Staan ze in de kantine weer te schreeuwen tegen de mevrouw van de broodjes.'

Haar inkomen lag rond de 100 000 pond. 'Zwaar overbetaald,' vond ze. Maar ze ging zich niet lopen schamen. 'Ik betaal het volle pond aan belasting.' Met haar aanleg voor wiskunde kon ze bij een zakenbank veel meer verdienen. Ze piekerde er niet over. 'Zakenbanken verdienen geld met geld; ze speculeren. Dat schept een sfeer die mij niet aanstaat. Het is erg prettig om dat soort figuren niet tegen te komen, zelfs niet in de lift.'

Niets menselijks bleek de financiële wereld vreemd, en de antropoloog in mij bloeide op. Met alle ongeschreven regels, taboes en interne hiërarchieën is de City net een dorp, of een stam. Insiders gebruiken de codes om elkaar te plaatsen, en dat was te leren. Een financieel advocaat van eind dertig keek tijdens onze lunch in een duur restaurant nabij Exchange Square om zich heen en zei: 'Hoofdzakelijk advocaten. Ik zie nergens "trofee"-echtgenotes of -vriendinnen, van die overdreven duur geklede vrouwen. Ik zie mannen die hun jasje aanhouden. Als je gaat eten met een klant, zul je als advocaat nooit als eerste je jasje uitdoen; hoe dan ook houden we graag het uniform intact. Ik zie ingetogen dassen – ook dat hoort bij advocaten. Dit restaurant is erg goed, maar niet uitbundig, volgens mij noemde *The Sunday Times* het interieur vorige week "saai". Saai is goed, voor advocaten. Wij verkopen betrouwbaarheid, soliditeit, behoedzaamheid.'

Wie in de City eenmalige projecten of deals doet, loopt er zo succesvol mogelijk bij, legde de advocaat uit. 'Als je beursgangen begeleidt, kom je voorrijden in de duurste auto die er bestaat. De ondernemer moet denken: Die bankier heeft vast al meer bedrijven naar de beurs gebracht, hoe komt-ie anders aan die wagen?' Het belangrijkste aan een beursgang is dat-ie slaagt, niet of de bankier 1,2 of 1,3 procent provisie bedingt. Heel anders zijn langetermijnrelaties, waar je facturen stuurt. Dan laat je dat peperdure horloge juist thuis. 'Wij rekenen stevige tarieven,' zei de financieel advocaat. 'Die rijkdom willen we onze klanten niet inwrijven. Anders gaan ze denken: Betaal ik niet te veel?'

Op eenzelfde manier leerde ik dassen, schoenen, horloges en ringen decoderen, zoals ik me ook snel aanwende om 'Goldman' of 'Goldmans' te zeggen in plaats van Goldman Sachs, 'SocGen' (*sokdzjèn*) voor de Franse bank Société Générale en 'Deutsche', dus zonder 'Bank'. Het bedrijfsleven buiten de financiële sector ging ik 'de echte economie' noemen, en een baan een 'rol'. Bijna ongemerkt begon ik in plaats van salaris plus bonus *total comp* te zeggen, en ik dacht niet meer aan Tolkien als iemand bloedserieus verklaarde: 'Ik werk in *the Magic Circle*' – zo heten in de City de vijf dominante advocatenkantoren.

31

Nul bonus is een *doughnut*, de *red-eye* een nachtvlucht, *broker's ear* het vermogen om vijf gesprekken tegelijk te volgen, en het *fat finger syndrome* de nachtmerrie van iedere handelaar: het gaat zo snel op de beurs dat je geen pop-upvenstertjes op je scherm kunt hebben met 'Weet u zeker dat u 500 000 aandelen British Airways wilt kopen?'. Een *fat finger* is het fatale moment dat je een nulletje te veel intypt en dat als een gek moet proberen recht te zetten.

Het is helemaal niet zo'n moeilijke taal, *Financialese*, en na een tijdje kon ik zelfs moppen vertellen. Wat zou een bankier bij Goldman doen als-ie 5 miljoen dollar had? – Vragen waar de rest is gebleven. Of: Wat is een econoom? – Iemand die het oneens is met een andere econoom. Overigens zijn er drie soorten economen: zij die kunnen tellen en zij die dat niet kunnen. Economen hebben zeven van de laatste drie crises goed voorspeld, dus de economische wetenschap is niet waardeloos. De helft is zelfs nuttig – jammer dat economen het er nooit over eens kunnen worden welke helft.

Eigenlijk was er tijdens deze verkenning van de City maar één probleempje, en daar was ik al tijdens het allereerste interview tegenaan gelopen.

Het was een bloedhete zomeravond en op zijn voorstel hadden we afgesproken in een restaurant aan Covent Garden. Overal zag je afgepeigerde toeristen in felgekleurde outfits en obers die duidelijk al een dag lang bestellingen bij ze hadden opgenomen.

Hij was een grote, joviale twintiger die al een paar jaar werkte als salesmanager bij een leverancier van datamanagementservices rond fusies & overnames. Ik vroeg of ik kon vermelden wat hij ging eten. Als voorafje nam hij foie gras, gevolgd door een hamburger met patat en als toetje een dubbele macchiato met cognac. We dronken er een witte wijn bij, die hij uitzocht.

Het voorgerecht kwam, ik sloeg mijn opschrijfboekje open en vroeg wat een salesmanager bij een leverancier van datamanagementservices rond fusies & overnames eigenlijk doet.

Hij nam een hap ganzenlever en legde uit dat als een bedrijf te koop staat, bankiers, accountants, consultants en advocaten door de boeken gaan om de waarde te bepalen. Dat kan zes maanden tot een jaar duren, want vaak zijn de archieven niet goed op orde en is een deel geheim, papieren documenten in een kluis. Zijn bedrijf bracht dat materiaal op orde en zette het op één schijfje, zodat de specialisten aan het werk konden. 'Zo'n cd-rom is versleuteld,' zei hij, 'maar toch: je wilt die niet kwijtraken.'

Ik vroeg naar het grootste taboe bij zijn werk, en zonder aarzelen zei hij: 'Vertrouwelijkheid schenden. Laatst hoorde ik in een bar iemand praten over een deal, hardop en in detail. Als ik iets had gedaan met die informatie, was die gast *fucked*. Daarom heb je codenamen voor deals. Stripfiguren, Griekse goden of anagrammen, waarbij je de letters door elkaar husselt. Vier potentiële kopers kun je vernoemen naar de Daltons in *Lucky Luke*. Ik stel me graag voor hoe die dure en drukke bankiers daarover vergaderen.'

Hij zag mijn grijns en moest zelf ook lachen, maar toen vroeg ik naar de crash van 2008. Hij keek me aan en haalde zijn schouders op: 'Eh... weet ik veel. Wat zou ik daarover moeten weten? Ik zit in fusies & overnames.'

Dat was het probleempje.

2
Planet Finance en de Crash

Achteraf is het logisch. Ik beschouwde de financiële wereld als één pot nat en dus had ik de netten breed uitgegooid: als de sector in zijn geheel achter de crash zat, was iedereen die daar werkte het interviewen waard.

Voor een eerste beeld van de City had die brede benadering gewerkt. Maar mijn vraag hoe mensen met hun verantwoordelijkheid voor de crash konden leven, wekte bijna hilariteit. Als ze het interview al niet gaven om duidelijk te maken dat iemand met hun beroep níéts met de crash van doen had, zeiden mensen doodleuk dat ze hun begrip van '2008' uit de media en boeken van journalisten haalden. Sommigen waren er opvallend onwetend over, een enkeling leek het zelfs nauwelijks te interesseren, zoals de salesmanager op Covent Garden.

De fase van beginnersvragen liep op haar einde, vooral omdat ik intussen een aantal verhalen had gehoord waarvan mijn haren rechtovereind gingen staan.

De crash mocht geïnterviewden net zo hebben overvallen als de rest van de wereld, anders dan buitenstaanders begrepen zij wel wat er dreigde. Mensen spraken over collega's die urenlang als verlamd naar hun schermen staarden, tot niets in staat, zelfs niet op momenten waarop ze eenvoudig geld konden verdienen. Een paar keer spande het erom, en belden sommigen naar huis: Pin zo veel mogelijk geld. Ga nu naar de supermarkt en sla voedsel in. Koop goud. Of: Breng de kinderen in gereedheid voor evacuatie naar het platteland.

Soms kwam er een soort schaamte boven wanneer mensen over die herfst van 2008 vertelden, alsof ze zich vernederd voelden door de herinnering aan hun kwetsbaarheid toen. De bijna afgemeten toon ook waarop een macho als Sid zei: 'That was scary, mate. I mean, not film scary. Really scary.'

Als geïnteresseerde buitenstaander had ik in 2008 de val van de Amerikaanse bank Lehman Brothers en de daaropvolgende 'grootste paniek sinds de jaren dertig' als een uitzonderlijk ernstige financiële crisis beleefd, maar meer niet. De beelden die deze periode zijn gaan illustreren ademen ook een zekere onschuld of lichtheid uit: Lehman-medewerkers die als geslagen honden een kartonnen doos met bezittingen door Wall Street dragen.

Maar we zijn in 2008 ontsnapt aan een onvoorstelbare catastrofe. Letterlijk, in de zin dat schrijvers en experts in hun boeken vergelijkingen trekken met een financiële kernramp ('meltdown'), of teruggrijpen op Bijbelse abstracties als Armageddon, het Einde der Tijden. Opiniepeiler Nadhim Zahawi en voormalig Centrale Bank-econoom Matthew Hancock – beiden nu Lagerhuislid voor de Conservatieven – citeren in hun boek *Masters of Nothing: How The Crash Will Happen Again Unless We Understand Human Nature* bankiers die op het hoogtepunt van de paniek wapens kochten, 'klaar om zich te verschansen in een bunker mocht de openbare orde instorten'.

Waar was iedereen zo bang voor geweest? In *The Origin of Financial Crises* zet de Britse professioneel belegger George Cooper het als een simpel abc'tje op een rij: het faillissement van een grote en wereldwijd vertakte bank kan een domino-effect veroorzaken, waardoor het mondiale financiële systeem als geheel tot stilstand komt, verlamd raakt en instort. Behalve dat niemand nog bij zijn geld kan, bevriest dan de financiering van de handel, daarmee de handel zelf en dus de voedselbevoorrading.

Dat zijn de dominostenen die in de bange herfst van 2008 dreigden om te vallen, en ik had net met eigen ogen gezien wat dan de volgende steen in het rijtje kan zijn. Want midden in de zomer dat ik in Londen was komen wonen, waren op een dag op allerlei plekken rellen uitgebroken. Deze *London riots* gingen niet over de banken en hielden na een paar dagen weer op, maar het mechanisme was blootgelegd: slechts een paar duizend mensen hoeven te gaan plunderen en de politie staat grotendeels machteloos. Wat nu als honderden miljoenen mensen horen dat de bevoorrading van de supermarkten, tankstations en apotheken in hun buurt is gestopt? Wereldwijd, op hetzelfde moment?

*

Wat Al-Qaida in september 2001 bij lange na niet lukte, had de financiële sector in september 2008 op een haar na wel teweeggebracht: de diepe ontwrichting van onze samenleving. Nu wist ik de volgende vraag: Kan dit weer gebeuren?

De eerste stap moest zijn te begrijpen hoe de sector in elkaar zit, en hoe die zich verhoudt tot de crash: waar zitten de daders? Gelukkig bleek de opzet van de financiële wereld eerder lastig ineens te onthouden dan moeilijk te begrijpen, en ik kreeg er greep op door een soort kaart te schetsen, *Planet Finance*.

Je ziet dan drie, deels overlappende continenten: Vermogensbeheer, de Bancaire Sector en het Verzekeringswezen, waarvan die laatste door de omvang meteen de blik trekt: niet alleen honderden miljoenen levens, auto's en reizen worden verzekerd, ook schepen, kolencentrales, benen van voetballers en financiële producten.

De verzekeringsbranche overlapt deels met het continent van 'de banken', dat ook reusachtig is en grotendeels wordt ingenomen door de 'consumentenbanken'. Die bieden soms verzekeringen aan – vandaar de overlap –, maar halen de meeste omzet uit activiteiten die opa en oma nog kennen: betalingsverkeer, sparen, hypotheken, leningen aan kleinere en soms grote bedrijven en instellingen. De bankier in projectfinanciering die rijdend door het land tevreden dacht: Dat is mijn tolbrug, zit hier.

Geïnterviewden benadrukten al: consumentenbanken zijn echt anders dan zakenbanken. Dit is het resterende deel van 'de banken' met zijn handelaren ofwel *traders* op de handelsvloeren, de dealmakers bij bijvoorbeeld beursgangen of fusies & overnames, en ook de bedenkers en bouwers van financiële producten – onder wie degenen die in de crash wereldberoemd werden.

Lehman Brothers was een 'pure' zakenbank geweest, en Goldman Sachs is dit nog steeds; je kunt geen spaarrekening openen bij Goldman Sachs. Er zijn ook pure consumentenbanken, en banken die allebei doen worden wel 'megabanken' genoemd; bij Bank of America en Citigroup, Europese giganten als Deutsche Bank, HSBC, BNP Paribas of Société Générale en ook bij ABN AMRO, ING en Rabobank kun je als particulier een betaalrekening aanhouden, maar ook als ondernemer je bedrijf naar de beurs laten brengen.

De interne boekhouder die om nog een kans te maken op datingsites wegliet waar ze werkte, zat bij een megabank, en moest cijfers dus zowel bij zaken- als bij consumentenbankiers vandaan halen.

Alles kan genuanceerder, en wie inzoomt op 'de banken' ziet firma's die in dezelfde markt opereren maar geen bank zijn: hypotheekverstrekkers die concurreren met consumentenbanken, beursmakelaars die diensten aanbieden die handelsvloeren bij zakenbanken ook leveren. Sid werkte bij zo'n makelaardij, net als de interdealer broker die kwijt wilde dat slechts een paar procent in de City 'echt geld' verdient.

Zo komen we bij het derde enorme gebied, Vermogensbeheer. Dit zijn de firma's die geld beleggen namens rijke particulieren, pensioenfondsen, olielanden, en ook het verzekeringswezen, dat alle premies ergens moet onderbrengen. Je hebt rechttoe rechtaan vermogensbeheerders, die vaak beleggen in gewone obligaties en aandelen; *private equity*, dat met kapitaal van beleggers bedrijven overneemt om ze enige tijd later met winst door te verkopen; *hedgefunds*, die onorthodoxe en vaak bovengemiddeld riskante strategieën volgen; en *venture capitalists*, die met geld en advies start-ups en kleine bedrijven tot snelle groei proberen te brengen. Ook hier zijn overlappingen, wanneer zaken- of megabanken een vermogensbeheerdivisie hebben. Het hoofd Marketing dat voor de financiële wereld koos omdat ze in haar eentje een kind moest opvoeden, werkt op zo'n afdeling.

Verzekeraars, vermogensbeheerders en de banken domineren Planet Finance, en om ze heen liggen eilanden: accountants die de boeken van bedrijven en instellingen controleren, en kredietbeoordelaars die de financiële gezondheid van landen, bedrijven en financiële producten een cijfer geven – van 'junk-status' voor zeer riskant tot de bekende *triple* A's voor 'superveilig'. Verder consultants, financieel advocaten, headhunters ofwel *recruiters*, IT-bedrijven en andere dienstverleners – onder wie leveranciers van datamanagementdiensten bij fusies & overnames.

Uitzoomend zien we ten slotte de Centrale Bank en de Toezichthouder om Planet Finance heen cirkelen, als satellieten die proberen op grote afstand de boel in de gaten te houden.

Zo gigantisch groot en divers is de financiële wereld.

Nu de crash. Hiernaar zijn in het Westen tientallen parlementaire onderzoeken gedaan en er zijn honderden journalistieke en wetenschappelijke reconstructies over geschreven – alleen al in het Engels is de teller de driehonderd gepasseerd. Het is een enorme stapel, die geen mens helemaal kan lezen, en dit is ook niet nodig. Er is inmiddels een brede consensus. Niet over de schuldvraag, maar wel over *wat* er is gebeurd.

Het komt erop neer dat in de jaren voor de crash consumenten-banken en hypotheekverstrekkers gewone mensen heel erg veel geld hebben laten lenen – vooral in Amerika en Groot-Brittannië, en met name voor hypotheken. Dat kon zo lang doorgaan om-dat al dat geleen de huizenprijzen enorm opdreef en iedereen zich rijk rekende. Consumentenbanken en hypotheekverstrekkers had-den bovendien weinig reden om naar het risico op wanbetaling te kijken. Ze konden de hypotheken namelijk doorverkopen aan zakenbanken, die deze opknipten en herverpakten tot steeds com-plexere financiële producten. Pensioenfondsen en andere beleggers kochten deze 'pakketten' maar al te graag, want Centrale Banken hielden al jaren de rente laag en zulke beleggingsproducten gaven een iets beter rendement. Pensioenfondsen en andere beleggers vertrouwden ook op de Amerikaanse verzekeringsgigant AIG, die veel producten verzekerde. AIG durfde dit weer mede aan omdat kredietbeoordelaars de producten aanmerkten als triple A en 'vol-strekt niet riskant'.

De producten werden steeds complexer, de triple A's bleven ko-men, en intussen hielden banken een deel van de producten in eigen bezit – zonder goede financiële buffers en vaak aan het zicht ont-trokken met constructies in belastingparadijzen. De accountants hadden niks door, dachten dat het wel goed zat of keken de andere kant op, net als de toezichthouders, Centrale Banken en politici.

Toenmalig Labour-premier Gordon Brown zei in 2007 in een toespraak voor bankiers en professioneel beleggers: 'De City is pre-cies het soort uiterst geavanceerde en getalenteerde industrie met zeer hoge toegevoegde waarde waarmee wij de mondiale concur-rentie aankunnen. Groot-Brittannië heeft veel meer van de daad-kracht, verbeeldingskracht en ambitie nodig waarmee jullie al zo-veel succes boeken.'

Op het moment van die speech kwamen er al steeds meer sig-nalen dat miljoenen huizenkopers in vooral de VS niet aan hun financiële verplichtingen zouden kunnen voldoen. De financiële producten waarin hun hypotheken waren herverpakt, begonnen zwaar in waarde te dalen of 'ontploften' en werden waardeloos. Beleggers moesten verliezen nemen, maar veel banken hadden een deel van de producten in eigen bezit gehouden. Ook zij moesten afboeken, maar door de ondoorzichtigheid van de producten en de fiscale constructies wist niemand hoeveel. Waren de buffers groot genoeg?

Bij Lehman Brothers niet, en toen deze bank het faillissement aankondigde, wilde binnen het financiële systeem niemand elkaar nog geld lenen: wie weet was de ander morgen failliet en dan was je je geld kwijt.

Nu dreigde het domino-effect dat in een paar dagen het mondiale financiële systeem als geheel kon doen instorten. Overheden tastten diep in de staatskas, Centrale Banken lieten de rente verder dalen en creëerden gigantische hoeveelheden nieuw geld. Direct en indirect werd dit het systeem in gepompt en zo was het alles verlammende wantrouwen binnen de sector bezworen. Voor de publieke opinie waren de financiële instellingen 'gered', en politici en centrale bankiers konden poseren als financiële brandweerhelden.

Tot zover een *crash course* financiële *crash*. Pak nu Planet Finance erbij en twee dingen worden duidelijk: vrijwel overal zitten betrokkenen, maar een overweldigende meerderheid van de financiële wereld had er níéts mee van doen.

De meeste consumentenbankiers vulden hun dagen met het regelen van betalingsverkeer, de financiering van een olieboorplatform of het opzetten van een nieuw soort spaarrekening voor kinderen onder de twaalf. Het merendeel van de accountants was de boeken aan het controleren van oliemaatschappijen, technologiebedrijven of overheidsinstellingen. De overweldigende meerderheid van de kredietbeoordelaars bestudeerde de financiële gezondheid van landen of bedrijven, niet van de gewraakte complexe

producten. En zo verder, tot en met de salesmanager voor dataser-
vices die zich op Covent Garden de ganzenlever goed liet smaken.

*

Toen ik de ware toedracht van de crash doorkreeg, was ik in eerste
instantie bijna opgelucht. Het was geen alomvattende samenzwering of complot geweest van dé sector. Sterker nog: de PR-machine
van de financiële sector benadrukte met recht dat vrijwel niemand
deze ramp had zien aankomen – politici niet, en toezichthouders,
Centrale Bankiers of 'topeconomen' op elite-universiteiten evenmin.

Zeg nou zelf, redeneerde de financiële PR-lobby verder: Welke
bankier richt expres zijn bank te gronde? De crash van 2008 was
een onvoorziene en eenmalige samenloop van omstandigheden.
Inmiddels zijn de ontplofte producten van hun riskante elementen
ontdaan, er zijn allerlei extra regels en veiligheidsmaatregelen doorgevoerd en banken werken keihard aan een cultuurverandering. Is
de tijd voor 'bankier-bashen' niet zo langzamerhand voorbij?

Uit de mond van een perfect gecoiffeerde topbankier of PR-figuur
kan zo'n argumentatie heel overtuigend klinken. Totdat je haar
omdraait. Want is het eigenlijk niet juist extreem alarmerend dat
vrijwel niemand in de sector doorhad hoe gevaarlijk deze complexe
producten konden zijn? Hoe meer mensen ik hoorde verklaren dat
ze heus geen idee hadden gehad, hoe meer ik me ging voelen als
iemand die een dutje doet in de bus en dan van de chauffeur moet
horen dat deze onderweg met veel geluk een plotseling opdoe-
mend ravijn heeft ontweken. Dat is verschrikkelijk, als je onwetend en weerloos op de achterbank zat. Maar dit gevoel wordt toch
alleen nog maar sterker wanneer de chauffeur als excuus aanvoert:
'Sorry hoor, maar echt niemand wist dat die weg opeens overging
in een afgrond...'?

Want dan vraag je je af: Van welke ravijnen heb jij nog meer geen weet?

Duidelijk was dat zakenbanken en zakendivisies binnen megabanken bij de crash een hoofdrol hadden gespeeld. Duidelijk was ook dat zakenbanken niet voor het eerst beterschap hadden moeten beloven; bij het dot.com-schandaal hadden zakenbankiers tegenover beleggers en de financiële media jarenlang waardeloze technologiebedrijven de hemel in geprezen, terwijl hun collega's in *dealmaking* deze bedrijven voor enorme *fees* naar de beurs brachten. Toen deze 'internetzeepbel' rond de eeuwwisseling knapte, ging wereldwijd het equivalent van 3500 miljard euro in rook op. Om deze schok op te vangen was de rente sterk verlaagd, en dit goedkope geld had weer bijgedragen aan de huizenzeepbel van 2008.

In die zakenbanken ging ik spitten.

DEEL II
HET PROBLEEM

3
Going Native

Met de ontdekking van de ware toedracht van de crash was de onwetendheidsfase voorbij. Daarmee begon het stadium dat je de ontkenning zou kunnen noemen. Want de sector lijkt wel georganiseerd om je het idee te geven: Gaat u rustig slapen, alles is allang weer onder controle. En niemand doet dit beter dan de zakenbanken.

Een handvol keren lukte het onder al dan niet valse voorwendselen rond te neuzen in het Londense hoofdkwartier van een zakenbank. Alsof je een soeverein ruimteschip binnenstapt. Geruisloze, pijlsnelle liften, uitstekende beveiliging en professioneel-hoffelijk baliepersoneel. Veel glas, marmer en andere materialen die koude weelde uitstralen, en hoge ruimtes die je klein doen voelen, als Europese kathedralen. De rondlopende bankiers zelf leken een en al doelgerichtheid en ingehouden haast, alsof iedereen opging in iets heel belangrijks. *Wij weten waar we mee bezig zijn en wie ben jij om daar vraagtekens bij te zetten?*

Ik herinner me goed de eerste keer dat ik bij een zakenbank de *vice-president* ging interviewen. Ik had er mijn netste pak en minst gekreukelde das voor uitgezocht... Bleek het een gastje van net dertig!

Zo werkt dat met *job titles* in zakenbanken. Je start als begin twintiger bescheiden met *analist* en daarna *associate*, maar wie wil en mag blijven is rond zijn dertigste al vice-president. Drie of vier jaar later staat er DIRECTOR of SENIOR VICE-PRESIDENT op je visitekaartje, en daarna MANAGING DIRECTOR (MD). Pas hierboven zit het werkelijke management van de bank: bazen over één activiteit of regio, en daar weer boven de *cees* – mensen wier titel begint met CHIEF, onder wie de *chief executive officer* (CEO).

Je moet maar durven, en soms keert het gestrooi met imposante titels zich tegen een zakenbank. In het voorjaar van 2012 publiceerde ene Greg Smith op *The New York Times*-opiniepagina het artikel 'Why I left Goldman Sachs'. Smith was een *executive director* – zo noemt Goldman Sachs zijn vice-presidents. Wow, wreven opiniemakers buiten de financiële pers zich in de handen: een topbankier klapt uit de school over machtsmisbruik en minachting voor klanten! Wat Smith te melden had was schokkend – waarover later meer. Maar Goldman Sachs heeft duizenden executive directors.

Maanden was ik ermee zoet om de opzet en cultuur van zakenbanken te doorgronden, en wat niet hielp was dat economen geen zogeheten veldwerk doen. Een antropoloog die een gemeenschap wil begrijpen, bouwt 'van onderaf' een beeld op. Je leert de taal en gaat mensen dan maanden, zo niet jaren systematisch observeren.

Economen werken anders, zoals de oud-directeur van de London School of Economics Howard Davies in zijn boek *The Financial Crisis. Who is to Blame?* bijna laconiek toegeeft: 'Er is nauwelijks *real life research* op handelsvloeren zelf.'

Wat een tegenvaller, en nu was ik voor een eerste beeld van de dagelijkse praktijk binnen zakenbanken in Londen aangewezen op anonieme blogs, en op memoires van voormalige zakenbankiers. De bekendste daarvan, *City Boy* van oud-bankier Geraint Anderson, heeft de veelzeggende ondertitel: *Beer and Loathing in the Square Mile*. Je hebt ook *Confessions of a City Girl* van Barbara Stcherbatcheff: *The Devil Wears Pinstripes*. Dat begint in een stripclub, waar zich ook grote delen afspelen van *How I Caused the Credit Crunch* van Tetsuya Ishikawa.

Het is een heus genre geworden sinds de crash: de oud-bankier die in een gefictionaliseerde autobiografie tweehonderd pagina's lang bezig is met zuipen, coke snuiven, hoerenlopen en vooral met de kater de volgende ochtend. Het leest lekker weg en vindt gretig aftrek: van *City Boy* zijn volgens de auteur een kwart miljoen exemplaren verkocht. Maar het contrast met de zakenbankiers die ik te spreken kreeg had niet groter kunnen zijn.

Laat ik beginnen met de allereerste zakenbankier die instemde met een interview: een goed geklede dealmaker van begin veertig met de rang van managing director, ofwel MD. Bij onze afspraak had hij de tijdzone vermeld: '1 p.m. UK.' Hij kwam namelijk die ochtend terug uit New York.

Al een jaar of vijftien zat hij in fusies & overnames, waar hij als een soort financiële aannemer de aan- en verkoop van bedrijven en bedrijfsonderdelen begeleidde. Wat doe je dan de hele dag, vroeg ik, en het antwoord liet zich samenvatten in één woord: besprekingen. Met 'zijn' bedrijven, met potentiële kopers en verkopers van bedrijfsonderdelen, met het leger van advocaten, accountants en financiële dienstverleners dat om deals en transacties heen hangt. En natuurlijk met collega's. 'Als MD mag je lunchen in de *executive dining room*, de perfecte omgeving om snel en informeel trends door te nemen met andere leiders binnen de bank.'

Verder vloog hij de wereld rond om zijn klanten te zien, of hij haalde ze naar Londen, voor een dagje Wimbledon bijvoorbeeld. 'We praten over zaken, maar het is nog steeds erg prettig.'

Het werkte als volgt, zei hij. Hij had een 'regio' met daarin een aantal bedrijven dat hij jaar in jaar uit adviseerde over ontwikkelingen in hun sector. Onbetaald. Maar deed zo'n bedrijf een overname, dan verwachtte hij die te mogen uitvoeren, voor een flinke vergoeding. Vandaar het bonussysteem, legde hij uit. In jaren zonder deal komt er niks binnen en betaalt de bank een relatief beperkt basissalaris. In goede jaren is er veel te verdelen en deelt iedereen ruim mee.

Klopte het dat een MD als hij in goede jaren een miljoen pond verdiende? Hij glimlachte. 'Geld is belangrijk, maar meer als erkenning. Mijn auto is elf jaar oud. Een mooie bonus betekent dat iemand heeft gezien dat je goed werk hebt geleverd.'

Buitenstaanders hebben rare ideeën, had hij gemerkt. 'De meeste collega-MD's leiden een heel geregeld leven. De bank zorgt voor medische checks, gesubsidieerde fitness en lezingen over optimale eet- en slaapgewoonten, stress en de combinatie kinderen, gezin en au-pairs.'

Ik vroeg naar taboes, en suggereerde in een onhandige poging het ijs te breken: De bank failliet laten gaan? Zonder aarzeling of glimlach reageerde hij: 'Vertrouwen beschamen. Ik onderhandel namens klanten. Als mensen aan je integriteit gaan twijfelen... *Forget it.*' Deze business draait op langetermijnrelaties, ging hij verder, en beoordelingsvermogen is essentieel. 'Een klant vertelt over zijn plannen voor de Indiase markt. Hoeveel mag ik daarvan delen met een andere klant – voor wie deze informatie bijzonder waardevol kan zijn?'

En de risico's die banken nemen? Hij kuchte, licht gegeneerd. 'Ik kan geen geld van de bank verliezen, zelfs niet als ik dat zou willen. Ik adviseer, en in het ergste geval verdien ik geen geld. De echte schade die ik kan aanrichten is reputatieschade. Dat is het allergrootste taboe hier.'

Dit is denk ik de belangrijkste reden waarom ik lang niet zag hoe mis het is met de zakenbanken: de zakenbankiers die ik te spreken kreeg waren geen monsters, maar gewone mensen.

Ter illustratie een tweede. Hij was begin dertig en werkte al een jaar of tien bij een prestigieuze zakenbank, inmiddels met de rang van *director*. Laten we hem de rock-'n-rollhandelaar noemen, naar zijn antwoord op de vraag waarom hij dit beroep had gekozen: '*Trading* is binair. Ik heb geld verdiend vandaag, of niet. Dan de glamour, het geld, de vrouwen... Rock-'n-roll zonder de gitaren, zeg maar.'

Wat trading zo gaaf maakt, is dat je je vroeg kunt bewijzen, ging hij verder. 'Ik ken gasten van vijfentwintig die een miljoen verdienen. Niet veel, maar ze zijn er. Dat is zo'n contrast met andere banen.'

Het was vroeg in de avond en we zaten in Lombard One, een bij financiële types populair restaurant waar een biertje 4 pond kost. Hij kwam van straatarme Aziatische immigrantenhuize, had dankzij zijn talent voor wiskunde een beurs voor een exclusieve middelbare school bemachtigd, en was zo binnengekomen op een topuniversiteit. Zijn vriendjes van de lagere school zaten nu bijna allemaal in de beveiliging, in de gevangenis of werkloos thuis – en verdienden met z'n allen minder dan hij in zijn eentje. 'Wie arm opgroeit, beseft vroeg dat geld belangrijk is,' zei hij nuchter.

Ik bracht de crash ter sprake en hij schudde zijn hoofd: 'De woede is zo ongedifferentieerd. Ik lees de reacties op jouw blog, en mensen lijken te denken dat wij dit hebben zien aankomen. Maar behalve Goldman en misschien Deutsche zijn we er allemaal door overvallen.'

En dan bedoelde hij bij lange na niet iedereen bij Goldman Sachs of Deutsche Bank. 'Ook ik ben boos,' zei hij. 'Zo'n CEO die de bank failliet laat gaan maar wel zijn 400 miljoen dollar mag houden... Ik had aandelen in die bank. Die zijn niks meer waard.'

'Alsof na een dopingschandaal alle sporters fout zijn,' raakte hij nu goed op dreef. 'Ook handelaren moet je onderverdelen. Doe je aandelen, grondstoffen zoals olie of graan, obligaties of valuta? Als aandelenhandelaar heb je vervolgens weer een sector: olie- en gasbedrijven, banken, telecom... Er zijn aparte handelaren voor derivaten, opties enzovoort, en weer andere voor nog complexere producten.'

Dat is voor de buitenwereld toch niet te vatten, zei ik, maar hij was nog niet klaar. 'Dan heb je het verschil tussen *prop*-handelaren die werken met kapitaal van de bank, en *flow*-handelaren die in opdracht van klanten handelen. Zoals ik.' Om nog maar te zwijgen van alle activiteiten buiten trading, mompelde ik, en wenkte de ober voor een nieuw biertje.

Nog zoiets, gnuifde hij: 'Buitenstaanders die denken: Dat kan ik ook. Bij sollicitaties zeggen we: Je moet aankunnen dat je risico loopt, iedere dag weer. Je gaat daarover malen, in je slaap, terwijl je eet... Het begint bij het opstaan en gaat niet meer weg. Het is echt niet makkelijk, mentaal.'

Oké, zei ik, hoe werkt traden dan? 'Ik zal het versimpelen,' zei hij na een slok bier, en hij legde uit dat handelaren zoals hij elke ochtend een *view* nemen op de beurs. Stel, je concludeert: het gaat omhoog. Dan koop je alvast producten en wacht je tot klanten deze – via *sales* – bestellen. Daarvoor krijgt de bank commissie, en verder probeer je een marge te pakken tussen je aan- en verkoopprijs.

Het zwaarst is het als iedereen geld verdient, behalve jij, zei hij. 'Dan moet je jezelf voorhouden: Het komt goed. Dat is ieders angst: om "het" kwijt te zijn. Wat is "het"? Intuïtie. Wat een voetballer als Messi kan met een bal. 's Morgens vraag ik aan handelaars die "het" hebben wat ze denken. Ze zeggen: Omhoog, en verdomd, de beurs gaat die dag omhoog.'

Zuchtend zei hij te beseffen dat buitenstaanders handelaren zien als blinde gokkers. Hij pakte mijn opschrijfboekje en schreef twee pagina's vol met wiskundige formules en Griekse letters, ter illustratie van de wiskunde achter zijn werk.

We kregen het over de sfeer op de handelsvloer, en zijn gezicht kreeg een bijna gelukzalige uitdrukking: 'Daar zit je met twee rijen schermen voor je. Je weet dat de kerel rechts en de kerel links precies snappen wat jij aan het doen bent. Allemaal heb je hetzelfde doel: de vloer op, geld verdienen. Kon ik je maar een keer meenemen... Geen privacy, iedereen hoort wat de ander zegt aan de te-

lefoon. De toiletten zien er vreselijk uit, geen idee waarom. Het is
zo heerlijk bij die mensen te horen. De energie, de *buzz*... Inclusief
jaloezie, uiteraard. Mensen die na een goed jaar over je fluisteren:
"Hij had een heel makkelijk 'boek'" – het product waarin je han-
delt en de vaste klanten die je mag bedienen. Het is bijna als een
opera.'

*

Hoe meer zakenbankiers ik sprak, des te beter zag ik hoezeer de
zakenbank een lappendeken is, of beter: een uitgestrekt eilandenrijk. Je merkte dat al aan de job titles waarmee vrijwilligers zich in
e-mails voorstelden:

– Managing Director Equity Capital Markets Olie en Gas, Noord-
  Amerika
– Fusies & Overnames Telecom Midden-Oosten Noord-Afrika
  (Director)
– Vice-President, Equity Derivatives Structurer, Europa.

In het begin klonk het als geheimtaal, maar het zijn gewoon de
coördinaten waarmee mensen hun locatie doorgeven in die onme-
telijk grote bank van ze: rang, activiteit, sector, regio.

Al deze handelaren in hun niches, dealmakers bij fusies & overnames, beursgangen en ondernemingsfinancieringen, de beleggers
bij vermogensbeheer... Net als zoveel anderen in de City konden
ze over de crash naar waarheid verzuchten: *It wasn't me.* Hetzelfde
gold voor de meeste *structurers* ofwel bedenkers en bouwers van
complexe producten. Want zakenbanken hebben veel meer soorten in het assortiment dan die in 2008 ontploften.

De zakenbank is zo groot dat er subculturen kunnen bloeien – een
feest voor de antropoloog. De quants ofwel wiskundig hoogbe-

gaafden vormen een aparte kaste, als priesters die de taal van het Heilige Boek beheersen en toegang hebben tot de geheimen der schepping. Doorgaans stelden ze zich zo ook voor: 'Ik ben een quant', alsof daarmee alles gezegd was. Niet-quants praatten precies zo over ze: 'Daar heb je gewoon een paar quants voor nodig.'

Quants spraken over een 'broederschap der nerds', dwars door alle rangen, functies en activiteiten heen. 'In zekere zin zal een quant bij UBS zich eerder identificeren met een andere quant bij JPMorgan dan met zijn non-quant UBS-collega's om hem heen,' zei een quant die heel hoog was gekomen bij zijn bank.

Leken quants en niet-quants grotendeels langs elkaar heen te leven, tussen handelaren en dealmakers in fusies & overnames was de afkeer voelbaar, als tussen rivaliserende voetbalclubs. In het begin gaven vooral dealmakers zich op voor een interview. Dat heeft te maken met het type mensen, legde een senior dealmaker uit. 'Ons soort is meer geneigd een kwaliteitskrant als *The Guardian* te lezen.' Een handelaar aan wie ik dat voorlegde, begon te schateren: 'Dealmakers kunnen afspreken omdat ze niks te doen hebben. De economie ligt op z'n reet. Er zíjn helemaal geen fusies & overnames!'

Dealmakers beschreven handelaren als 'toch meer het type straatvechter', en omgekeerd noemden handelaren dealmakers 'pure verspilling van kantoorruimte' of 'vertegenwoordigers in reputatieverzekeringen'. Stel, zei een handelaar, 'jij gaat als CEO een overname doen en laat die uitvoeren door Goldman Sachs. Het loopt helemaal fout. Maar jij hebt de beste zakenbank ter wereld ingehuurd. Dus ben je veilig.'

De rock-'n-rollhandelaar keek bijna vies toen de term 'fusies & overnames' viel. 'Daar zou ik nooit kunnen werken,' verklaarde hij gedecideerd. 'De eerste paar jaar mag je niets interessants doen en werk je afschuwelijk veel. Erger nog: "dealmaking" moet zich oppompen. Waarom zou de klant voor jouw advies betalen, tenzij jij de slimste persoon op aarde bent?'

Going Native

*

Ook antropologen kennen taboes. Het grootste is discriminatie, meteen gevolgd door het tegenovergestelde gevaar: *going native*, ofwel 'lokaal gaan'. Als knipoog naar deze neiging tot identificatie met de mensen die je onderzoekt had de blog op de *Guardian*-site de ondertitel '*going native in the world of finance*' gekregen, en dat bleek profetisch.

Regelmatig werden zakenbankiers in de reactiecolumn onder hun interview uitgescholden voor 'psychopaat', 'gokverslaafde in een casino', of 'parasiet'. Vooral die laatste term stak zakenbankiers, en luisterend naar hun argumenten dacht ik: Jullie hebben een punt.

Wij zijn uiteindelijk dienstverleners, zeiden mensen, en de diensten die we verlenen moeten nut hebben. Anders zou er bij klanten toch geen vraag naar zijn? Britten voegden hieraan toe dat de sector de schatkist miljarden oplevert en honderdduizenden banen schept – direct in de financiële industrie en indirect bij restaurants, hotels, luchthavens, conferentiecentra en taxicentrales. Wat kan mijn land anders, zeiden veel Britten. Onze industrie is allang kapot. Wat is Londen nog? Denk je dat al die musea, parken en voetbalclubs van wereldformaat zonder sponsoring uit de financiële sector kunnen?

Jouw lezers bouwen toch pensioen op, vroegen professionele beleggers bij vermogensbeheer retorisch. Stel, je hebt twee fabrikanten van windmolens. Dan wil je dat iemand uitzoekt welke fabriek het best wordt geleid, zodat jouw pensioengeld naar de goede gaat. Dat doen wij.

Een fusie of overname raakt snel rechtssystemen in vijf, zes landen, zeiden dealmakers. Alles moet kloppen: de structuur van de leningen waarmee het bedrijf wordt gekocht, aansprakelijkheid, de fiscale kant, milieuwetgeving, arbeidsrecht, antimonopolieregels, pensioenverplichtingen... Het is een vak.

Iemand moet toch de opdrachten van klanten uitvoeren, stelden handelaren. Hoe kan jouw pensioenfonds anders beleggen?

Bouwers van complexe financiële instrumenten zeiden: 'Een Afrikaanse luchtvaartmaatschappij wil nu tickets verkopen voor volgend jaar januari. Maar als in december de olieprijs opeens sterk stijgt zijn ze failliet, want dan hebben ze tickets verkocht voor een te lage prijs. Dus zoeken ze een manier om straks niet meer te betalen voor olie dan de prijs nu. Wij bouwen zo'n instrument, en zoeken iemand die juist bang is voor een lagere olieprijs in januari. In het ideale scenario passen ze op elkaar en hebben we beide partijen van een risico afgeholpen. Onze beloning is een commissie.'

Elke afdeling binnen de zakenbank had een verhaal klaar, en met gokken in een casino leek hun werk zelden iets te maken te hebben. Integendeel, als mensen van uur tot uur een doorsneedag beschreven, bleken ze vooral bezig met het binnen en buiten de bank verzamelen, selecteren, doorgeven, ruilen, gunnen en interpreteren van informatie en analyses, onder tijdsdruk en in strijd met rivalen bij andere banken of financiële firma's. Een dealmaker op MD-niveau 'plaatste' leningen voor bijvoorbeeld multinationals door uit te zoeken welke beleggers in zijn netwerk tegen welke voorwaarden geld wilden uitlenen. 'In dit werk moet je mensen zo op hun gemak kunnen stellen dat ze informatie delen,' legde hij uit. 'Je moet risico's kunnen inschatten en filteren. Als iemand begint te schreeuwen door de telefoon, is-ie dan boos en staat-ie met de rug tegen de muur, of is het een onderhandelingstruc?'

Mijn werk is een soort spel of dagelijkse puzzel, zeiden mensen, soms tot hun eigen verbazing. En bij het spelen van dat spel en de oplossing van die puzzel zijn behalve intelligentie en doorzettingsvermogen vooral sociale vaardigheden, vertrouwen en vertrouwelijkheid cruciaal.

'Mensen denken dat de financiële wereld gaat over concurrentie,' vertelde een jonge vrouw over haar ervaring als saleshandelaar bij een grote zakenbank. 'Die is er zeker. Maar bovenal gaat het om samenwerking.'

Omdat handelaren zich moeten concentreren op de beurs, kunnen ze niet met klanten praten. Dat doen saleshandelaren zoals zij. Haar niche was obligaties, ofwel verhandelbare leningen, en toen ik vroeg om een zo simpel mogelijk voorbeeld, dacht ze eerst rustig na. Haar klanten waren grote beleggers die investeerden in obligaties van bedrijven. 'Stel dat zo'n bedrijf over de kop gaat. Nu zijn die obligaties *troubled*, zoals dat heet, en wil mijn klant ze kwijt. Hoeveel zijn ze nog waard? Dat zal pas duidelijk zijn na alle rechtszaken. Die gaan lang duren, maar mijn klant wil nu verkopen. Onze handelaar geeft hem een prijs, en mijn klant vraagt: Waarom die prijs? Voor die discussie moet ik de rechtszaken snappen en alle ins en outs van het faillissement. Dat betekent lezen, lezen en nog eens lezen.'

Daarom was het essentieel dat je bij veel mensen binnen de bank goed ligt, vooral de researchafdeling. 'Je kunt materiaal zelf doorploegen, maar het gaat natuurlijk veel sneller als je iemand kan opbellen: *Hey*, leg me in tien zinnen even uit hoe dit zit.'

Ik vond het moeilijk in deze saleshandelaar een parasiet, gokverslaafde of monster te zien. Sterker nog: sommige zakenbankiers konden zelfs met zelfspot over zichzelf en hun bank praten.

Een saleshandelaar aandelen van eind veertig mocht sinds een paar jaar bonussen toekennen aan junioren. Hoe dat gaat? Hij lachte: 'Het is gewoon een stel gasten in een kamer die door een lijst met namen gaan en zeggen: "Oké, hoeveel krijgt deze?" Het eerste jaar maakte ik een grote fout. Ik dacht: Ik ga ervoor knokken dat iedereen in mijn team krijgt waar hij recht op heeft. Dom. Toen ik die bonussen had vastgesteld, snoeide senior management overal 20 procent van af en het hoofdkwartier nog eens 15 procent. Dus het jaar daarop eiste ik 40 procent boven wat ik redelijk achtte, en kwam op de goede bedragen uit. Door onze bonussen te verminderen laat senior management zien dat zij het belang van de bank boven alles plaatsen – en blijft er meer over voor dat senior management zelf. Het hoofdkwartier snoeit in de bonussen om dezelfde boodschap naar de aandeelhouders te sturen.'

Het is een ritueel, zei hij, op allerlei niveaus. 'Het positioneren begint al in september-oktober. Mensen "laten hun vlieger op"; ze proberen hun baas te imponeren met alles wat ze hebben gedaan het afgelopen jaar: Weet je nog die geweldige deal, ik was daarbij! Als er een grote deal bekend wordt gemaakt, proberen mensen hun naam genoemd te krijgen. *Revenue tourism* heet dat, omzettoerisme. Intussen duwt het hogere management de andere kant op: Dit jaar wordt geen klapper. De economie, onze bank, divisie, afdeling... Er is er altijd wel eentje die niet goed loopt. Zo proberen ze de verwachtingen naar beneden bij te stellen.'

Dan is het januari en 'bonus-' of 'compensatiedag'. Niemand mag vertellen wat zijn bonus is. Bij sommige banken is onthulling zelfs een *sackable offense*, een grond voor ontslag op staande voet. Tegelijk zijn de ruimtes waarin mensen wordt verteld wat ze dat jaar krijgen vaak hoekkamers van glas. Iedereen kan meekijken. Het idee is dat je uit je vel barst omdat je veel en veel meer had moeten krijgen, zei de saleshandelaar. 'Je ziet mensen met de vuist op tafel slaan terwijl de manager een pokerface trekt: "Je weet dat het genoeg is."'

Na een gesprek als dit dacht ik regelmatig: Als wij collega's waren, had hier een vriendschap kunnen ontstaan.

Dat is niet hoe het hoort in de antropologie, en om de verleiding van identificatie nog groter te maken vallen sommige banen binnen zakenbanken vrijwel samen met de journalistiek. Zoals die van de man die al ruim tien jaar als aandelenanalist bij een grote bank werkte – inmiddels als director. Hij volgde de grootste bedrijven in een bepaalde sector en stuurde zijn bevindingen naar grote beleggers, vergezeld van de aanbeveling: kopen, verkopen, vasthouden of neutraal. Wanneer financiële media melden: 'Analisten reageerden teleurgesteld op de resultaten van Sony', gaat het over mensen zoals hij. Ze hadden hogere resultaten voorspeld en zijn nu 'teleurgesteld'. Ik vernoem hem naar zijn bonus van vorig jaar: de 'Bankier-van-1-Miljoen'.

'Ik ben net een journalist, alleen heb ik het veel beter voor elkaar,' had hij in zijn e-mail geschreven, en toen we afspraken in de vroege avond, voegde hij daar met een knipoog aan toe: 'Journalisten klagen altijd dat ze te weinig tijd krijgen om ergens diep in te duiken. Dat ze niet genoeg verdienen, dat hun lezers hen niet waarderen of ook maar lezen. Ik volg zeven of acht bedrijven echt grondig, en de ongeveer tweeduizend mensen naar wie mijn werk gaat lezen het ook. Ze betalen er tienduizenden ponden voor.'

Ik haalde nog een biertje. Hij was een stevig gebouwde kerel van midden veertig en omschreef zichzelf als 'behoorlijk links'. Na een lekkere slok vroeg hij wat ik nu eigenlijk aan het doen was met deze blog. 'Je probeert een stukje van de wereld te doorgronden en dat begrijpelijk te maken voor anderen. Dat doen researchanalisten ook. Alleen schrijf jij voor mensen die nog niks weten van het onderwerp, en wij voor mensen die net zoveel weten.'

Maak dat eens concreet, zei ik, en hij knikte. 'Oké, ik ga versimpelen, maar in de kern gaat het zo. Jij doet de staalsector en op een dag krijg je een tip van iemand die weet dat jij Italiaans kent: Kijk naar de pensioenverplichtingen van concern XYZ in Italië. Je reist ernaartoe en spit wekenlang de wetgeving door, praat met de vakbond, juristen, mensen van dat bedrijf... Uiteindelijk kom je erachter dat door een obscure regel het staalconcern straks minder pensioen hoeft uit te keren. Je stuurt een rapport naar je klanten, die aandelen kopen in dat bedrijf. De obscure regel wordt bekend en de aandelenkoers stijgt; met lagere pensioenlasten is de waarde van het bedrijf hoger. Jouw klanten verkopen hun aandelen en maken een prachtige winst.'

Op die laatste stap na leek dit inderdaad op journalistiek speurwerk. 'Ik ga met veel plezier naar kantoor en neem het werk niet al
te serieus,' ging de Bankier-van-1-Miljoen verder. 'Het is bijzonder
interessant, met net genoeg gokkastdynamiek – de instantbevredi-
ging als de beurs zich gedraagt zoals jij hebt voorspeld.'

*

Feit was dat ik gewoon veel gemeen had met de zakenbankiers die
ik sprak. De City is extreem internationaal en naar schatting 40
procent van de zakenbankiers is buiten Groot-Brittannië geboren.
Bij veel interviews waren we dus allebei expats in Londen. Maar
de verwantschap ging dieper, ook met Britten: dezelfde soort opleiding, langere tijd in het buitenland gestudeerd en gewerkt. We
spraken meerdere talen, hielden van hetzelfde soort films, boeken
en muziek, lazen dezelfde dag- en weekbladen, en gingen op hetzelfde soort vakanties.

Hoewel ze meer verdienden dan ik, hoorden we, kortom, tot
dezelfde sociaal-culturele klasse, en naarmate ik meer collega's in
Londen leerde kennen, werd duidelijk dat ik hierin niet alleen
stond. Veel Britse journalisten hebben een partner, familieleden
of vrienden bij een zakenbank of in de City. Heel veel journalisten komen ook van Oxford, Cambridge of de London School of
Economics – precies de plekken waar zakenbanken graag mensen
vandaan halen.

Zo had ik *native* kunnen gaan, en kunnen concluderen dat het bij
de zakenbanken wel weer goed zit. Aan de bonussen moet absoluut nog wat worden gedaan, maar verder... De mensen zelf lijken
oké, dus waarom hun organisatie niet? Oliebollen en rotte appels
heb je overal, dus logisch dat in zulke grote instellingen dingen
misgaan. En de crash... Tja, de watersnoodramp had ook bijna
niemand zien aankomen.

Gelukkig maakten de interviews met zakenbankiers reacties los uit onverwachte hoek. En daar hoorde ik wel even iets anders.

4
Other People's Money

Bij de eerste interviews met zakenbankiers had ik niet goed geweten wat ik zocht. De zakenbanken vormden zogezegd geen raadsel – waarbij je op zoek gaat naar het antwoord op een vraag –, maar een mysterie: wat was de vraag en aan wie moest je die stellen? Zakenbankiers gingen mij niet vertellen hoe ze – al dan niet met opzet – een nieuwe crash of het volgende schandaal aan het voorbereiden of veroorzaken waren. Zulke mensen zouden zich niet eens opgeven, of reageren op een interviewverzoek.

Toen begonnen er e-mails binnen te komen van mensen uit het *back-office* en *middle-office*. Als zakenbankiers zich opgaven, blaakten ze vaak van zelfvertrouwen – zeker de mannen – en presenteerden ze hun medewerking soms bijna als een gunst: 'Jouw project vind ik interessant. Als je mijn anonimiteit kunt garanderen, wil ik wel afspreken.' Bij back-office- en middle-officemensen ging dat eerder zo: 'Je hebt het vast druk en concentreert je natuurlijk op echte bankiers. Mocht je het verhaal willen horen van iemand met mijn functie... De meeste avonden kan ik wel.'

Soms hadden mensen in het back- en middle-office een ondertoon van verongelijktheid, zoals de man die de vijf voorafgaande jaren had gewerkt in ondersteunende functies op een handelsvloer: 'Je trakteert je lezers steeds op handelaren en mensen in fusies & overnames,' schreef hij. 'Die gasten zijn hooguit 5 procent van het geheel. De overige 95 procent vertrapten en onderdrukten mag ook wel eens wat aandacht.'

Als we vervolgens afspraken, openbaarde zich een tweede verschil. Back- en middle-office krijgen veel minder betaald en kunnen zich minder dure kleren, horloges, telefoons en pennen permitteren. Ze zien evenmin klanten en hoeven met hun verschijning geen succes uit te stralen.

Op Canary Wharf lunchte ik met een IT'er bij een megabank. Ze had kort haar en het typische uniform van het back-office: informeel maar verzorgd. Bij haar vegetarische pizza bestelde ze een glas kraanwater en ze was zichtbaar nerveus – wat als een collega haar zag?

Ze herinnerde zich dat er een stilte was gevallen bij haar familie aan tafel toen ze vertelde over deze baan. 'Mijn zus zei: "Nu hoor je bij die bankiers."' Op dit moment automatiseerde ze op een handelsvloer data-invoer die nu nog met de hand ging. 'Ik maak banen overbodig,' zei ze op vlakke toon. 'Dat is constant gaande. De ene reorganisatie na de andere. Telkens nieuwe bazen die komen bewijzen dat ze in de kosten kunnen snijden.'

Haar working class Noord-Engelse accent was een dankbaar mikpunt voor grappen van handelaren. Op haar beurt noemde zij hen *posh*, de Engelse uitdrukking voor 'bekakt'. Het geplaag is vrij goedmoedig, meende ze, maar die bankiers leven op een andere planeet. Laatst klaagde een bankier tegen haar dat hij na aftrek van de privéschool van zijn kinderen, hypotheek en andere vaste kosten nauwelijks meer te besteden had dan het minimumloon. Ze had hem gevraagd waarvan hij dacht dat mensen met een minimumloon dan leefden, na aftrek van hún vaste kosten. 'Het was nog nooit bij hem opgekomen dat voor gewone mensen alles uit dat minimumloon moet komen. Dat het niet extra geld is voor leuke dingen.'

Ze zuchtte. 'Ik zit naast een vrouw met een zoontje dat ze nooit ziet. In alle vroegte komt ze aan en heel laat gaat ze naar huis – waar de au-pair is. Geld kan nooit liefde vervangen, zo denk ik erover.'

Ze verdiende 80 000 pond, plus een eventuele bonus van 10 procent. Dat zou ze nooit aan vrienden thuis vertellen. 'Soms voel ik me haast een oplichter,' fluisterde ze bijna. Maar ja, stelde ze vast, de lonen liggen zo hoog omdat de huren in Londen astronomisch zijn. Zelf was ze op drie uur van Londen blijven wonen en ging dagelijks heen en weer. 'Ik lees heel wat af.'

Haar man had een 'normale baan', zei ze. 'Met zijn handen. We zijn nooit op grotere voet gaan wonen en sparen wat we overhouden. Ik kan stoppen wanneer ik wil, terug naar mijn oude bestaan. Kinderen krijgen en ze zien opgroeien. Ik ben nog steeds vrij.'

Het waren verschillende werelden, en als ik mag uitpakken met een schemaatje, zie je drie lagen: bovenin de relatief kleine groep zakenbankiers naar wie zoveel aandacht uitgaat: het *front-office*. Dan het gigantische ondersteunend apparaat dat back-office heet, van juridische, boekhoudkundige en IT-diensten, personeelsbeleid, PR & communicatie en een 24 uur per dag actieve grafische afdeling, tot de bureaucratie rond *trades* – overmakingen naar en van klanten, en rapportage aan de interne boekhouders, de toezichthouder en de externe accountants.

Resteert het middle-office van *risk & compliance*, dat verantwoordelijk is voor 'interne controles'. Compliance zorgt dat alles volgens de regels gaat. Risk bewaakt bij ieder voorstel of iedere lopende activiteit van zakenbankiers de risico's en zegt zo nodig 'nee', of 'stop'. Je hebt mensen die kijken naar de kans dat degene met wie de bank zakendoet failliet gaat. Of naar wat er gebeurt met de verstrekte lening of deal als de beurzen sterk zouden dalen. Je hebt *operational risk*: hoe voorkomen we dat onze infrastructuur vastloopt of wordt misbruikt? En *sovereign risk*: wat is de kans op instabiliteit in het land waar wij zakendoen?

'Als ik zag dat een lening uit een plotseling instabiel geworden land was terugbetaald,' vertelde zo'n *sovereign risk manager*, 'voelde ik soms intense opluchting.' Hij was net met pensioen – of eigenlijk: recent ontslagen. Maar met een mooie regeling, haastte hij zich te zeggen, dus hij klaagde niet.

Hoe onveiliger sovereign risk een land aanmerkt, des te moeilijker wordt het voor zakenbankiers om een deal of trade te doen met een bedrijf of instelling daar. En hoe veiliger risk een land inschaalt, hoe makkelijker je ermee zakendoet.

Logisch, zei hij, dat zakenbankiers druk uitoefenen om landen zo veilig mogelijk in te schalen, en als het goed is heerst er een gezonde spanning tussen zakenbankiers en risk. 'Agressie bij handelaren en dealmakers, een zekere mate van paranoia bij risk & compliance.'

Was dat evenwicht er bij zijn bank geweest? Tja, zei hij ontwijkend, er is sinds de jaren zeventig zoveel veranderd in de City. 'De sector als geheel is meedogenloos gericht geraakt op winst, en op het naaien van de klant. Bankieren zou saai moeten zijn. Laat ik het zo zeggen: ik ben geen fan van deregulering.'

Niet zonder trots zei hij dat zijn team de crash had zien aankomen. Alleen gingen ze ervan uit dat de schade beperkt zou blijven. Ze geloofden dat de complexe producten de risico's zo hadden versprcid over het systeem als geheel dat dit de klap goed zou kunnen opvangen. 'Als de dag van vandaag' herinnerde hij zich hoe in de herfst van 2008 de beurskoers van de ene na de andere financiële instelling instortte. Met collega's zongen ze: '*Another one bites the dust.*' 'Het was heel eng,' blikte hij terug. 'Met galgenhumor probeerden we ons een houding te geven.'

Een *chief operating officer* in het back-office van een megabank ondersteunde een handelsvloer van vierhonderd man en beschreef de beste momenten van haar baan: 'Wanneer het is gelukt iets te stroomlijnen en beter te laten draaien, zodat iemand vanachter zijn bureau roept: "Ja! Dit maakt mijn leven makkelijker!"'

In dit werk kun je onmogelijk goed zijn op je eerste dag, legde ze uit. 'Je moet leren doorkrijgen wie er tegen je liegt, wat er eerder is gebeurd en door wie welke fouten zijn gemaakt. Om daar achter te komen moet je het respect van mensen hebben, zodat ze je dingen vertellen. En respect moet je verdienen – dat kun je niet overgedragen krijgen door je voorganger.'

Ze was twintig jaar terug helemaal onder aan de ladder begonnen bij haar bank, maar verdiende inmiddels zo'n 300 000 pond per jaar. 'Ik zou willen dat meer mensen een goed inkomen hadden.' Daarom stemde ze progressief, zei ze, en las ze *The Guardian*.

Het was een ander slag in het back- en middle-office, en een trucje dat ik wel eens toepaste om mensen anders over hun werk te laten praten, bracht dit contrast duidelijk naar voren.

Wat voor beest ben jij, vroeg ik dan, waarop een *compliance officer* antwoordde: 'Beest? Ik ben de opzichter!' Een andere compliance officer vergeleek zichzelf met 'een hond die het niet erg vindt geschopt te worden. We zijn loyaal en halen de stokken op die het management gooit. We blaffen naar mensen als ze iets fout doen. We doen zelf iets fout, krijgen een schop en gaan weer verder.'

Een back-officemedewerker die de winst-en-verliesrekening van handelaren moest narekenen zei: 'Welk dier komt veel in contact met andere dieren maar wordt niet opgegeten? Wij zijn met heel veel, en we doen iets heel raars, dat niettemin in de grotere orde der dingen essentieel is. Bijen misschien? Mieren?' Een interne boekhouder dacht eerst aan een springbok: 'Beetje gewoontjes, leeft in groepsverband, best aardig.' Alleen zijn we misschien wat langzamer, ging ze verder. 'Willen dingen precies doen, bang fouten te maken. Verder werken we hard... Bevers?'

Een medewerker Personeelszaken zei dat mensen zoals hij anderen helpen schitteren. 'Bestaan er beesten die dat doen? Als het alfamannetje de baas is, dan is Personeelszaken... het chimpanseebètamannetje. Wij bestaan om anderen hun doelen te laten bereiken.'

Zo dachten mensen in het middle- en back-office over zichzelf. Nu het front-office. 'We opereren in groepen,' zei een saleshandelaar die complexe producten verkocht. 'We gaan wel echt op jacht naar klanten, delen de buit... Wolven?' 'Wij zijn tijgers,' zei een andere handelaar. 'Je wil dat mensen zoals ik zo agressief zijn als maar kan, zodat we zo veel mogelijk geld verdienen.' De 'risicolimieten' waar hij binnen moest blijven zag hij als zijn kooi.

Een derde handelaar beschreef zijn soort als 'hyena's', en bouwers van complexe producten bij *structuring* als 'velociraptors'. Op zijn beurt zag zo'n structurer in handelaren toch eerder bavianen: 'Soms agressief, meestal best aardig.' De beurs vond hij een aquarium met haaien en zichzelf zag hij niet als een vleesetend monster uit de prehistorie, maar eerder als een beest dat onopvallend zijn kans afwacht: 'Een slang.'

De enigen in het front-office die geen roofdieren uitkozen zaten in vermogensbeheer – toevallig net de activiteit met streng toezicht. 'Een schildpad,' zei zo'n professionele belegger met de rang van managing director. 'We jagen niet, en omdat we voorzichtig zijn hebben we een lang leven.' Het kan er in de wereld stevig aan toegaan, zei ze, dus hebben mensen in vermogensbeheer een sterk schild om zich heen. 'We worden belachelijk gemaakt om wat anderen zien als traagheid. Maar wij zijn voorzichtig. Zo nodig komen we snel in actie. We zijn geen kuddedieren. Maar we vinden het prima om bij soortgenoten te verkeren.'

*

De Zakenbank als Dierenrijk deed het fantastisch bij vrienden en familie, die zo iets meekregen van de diversiteit binnen een zakenbank. Insiders vonden het geinig om te raden wie de velociraptor is en wie het chimpansee-bètamannetje.

Zelf was ik vooral verbaasd. Jaren had ik zakenbanken afgeschilderd zien worden als casino's of het Wilde Westen... Lopen daar duizenden mensen rond die expliciet tot taak hebben crashes en schandalen te voorkomen!

Nu wist ik wat in zakenbanken de vraag was, en aan wie je die moest stellen: Beste mensen bij risk & compliance, waarom gaat er zoveel mis?

De code of silence zou het heel moeilijk maken om mensen in het middle-office te vinden die specifiek gingen over de producten die in 2008 de wereldpers haalden. Maar de crash is niet de enige keer dat risk & compliance moest hebben gefaald. Rond de eeuwwisseling was er het dot.com-debacle geweest, en terwijl deze blog liep, brak het ene schandaal na het andere uit. Handelaren bij zaken- en megabanken bleken jarenlang massaal illegaal cruciale rentevoeten en valutawaarden te hebben gemanipuleerd – de Libor- en FX-schandalen. Opnieuw liep een *rogue* ('schurkhandelaar') tegen de lamp nadat hij ondanks interne controles en 'risicolimieten' miljarden had verloren. Verschillende banken werden betrapt bij het ontduiken van sancties tegen Iran en Sudan, en op witwaspraktijken met drugsgeld. In het 'London Whale'-schandaal verloor een handjevol handelaren bij JPMorgan 6,2 miljard dollar. Al jaren halen overal in Europa gemeentes, woningbouwcoöperaties, bedrijven en kleinere banken het nieuws omdat financiële producten die ze hebben gekocht van zakenbanken in Londen opeens tot monsterverliezen leiden.

De lijst is aanzienlijk langer, en wie weet wat er verder is gebeurd maar wordt stilgehouden.

Zakenbanken en de financiële lobby deden ieder nieuw schandaal af als het werk van 'rotte appels', zoals ze eerder de crash hadden voorgesteld als een eenmalig megamisverstand. Wat dacht het middle-office?

'Ik zat buiten met mensen van de bank een biertje te drinken en grappen te maken,' vertelde een compliance officer over haar eerste week bij de bank. 'Helemaal verbaasd zeiden ze: Jij zit toch in risk & compliance? Ik knikte. "Maar," zeiden ze, "je drinkt. Twee: je vertelde net een grap. En drie: het lijkt net of je een persoonlijkheid hebt." Mensen zien ons als lijnrechters: losers die op en neer rennen en spelers terugroepen als ze willen scoren of andere geweldige dingen doen.'

Een recent ontslagen man van begin dertig die bij een aantal grote banken in een controlefunctie had gewerkt, schetste de machtsverhoudingen zo: 'Je weet welke handelaren een enorme *profit & loss* ofwel winst en verlies voor de bank hebben, want hun reputatie snelt ze vooruit. *Hot shot* handelaren kunnen heel kortaf en bot zijn. Je leert je momentjes kiezen. Als collega's iets van een handelaar moesten, kon je dat zien: veel te lang doen over een e-mail, aarzelen om de telefoon te pakken...'

Niemand gaat ooit tegen het front-office in, zei een andere compliance officer met meer dan tien jaar ervaring op meerdere handelsvloeren gedecideerd: 'Ik heb dat nog nooit zien gebeuren.'

Een net gepensioneerde risk manager vertelde dat in zijn tijd de handelaren na het werk regelmatig gingen voetballen tegen de mannen van risk & compliance. 'Een keertje waren we aan de late kant en namen we taxi's. De handelaren konden dat declareren, zonder probleem. Wij niet. Het ging om een paar pond, maar het was zo tekenend. Dit etterde weken door en escaleerde. Uiteindelijk hebben wij betaald.'

Onze ondergeschikte positie zie je al aan de bijnamen, zeiden mensen. Zakenbankiers gaan door voor *rock stars, rainmakers, the dark side, movers and shakers* of *big swinging dicks*. Het middle-office voor *business blockers, deal killers, show stoppers, box tickers* en *cost centre* ('kostenpost').

Men had het over Bic-pennen voor het back- en middle-office

en dure modellen voor de zakenbankiers. En dat middle-office- en back-officemensen die hopen door te stromen naar het front-office zulke dure modellen aanschaffen om erbij te horen. Dat gebeurt soms: als een handelaar iemand heel goed vindt, kan deze naar het front-office worden gepromoveerd.

Een vrouw vertelde dat ze altijd verzorgd maar ingetogen gekleed op haar werk verscheen. Volgens haar kwamen de mannen in het front-office binnen de bank bijna alleen in aanraking met vrouwen in de 'gold digger-categorie' – zoals ze dat noemde. 'Een paar in het middle- en back-office zijn er echt op uit om een handelaar aan de haak te slaan. Een voetballer lukt niet, dus dan maar een handelaar – dat idee. Soms zie ik hoe ze zich kleden – minirok, borsten vooruit – en denk ik: Mensen, we zitten toch niet op het strand?'

Nooit hoorde ik iemand zeggen: 'Ja hoor, in het front-office sidderen ze voor ons', zoals ik ook nimmer een zakenbankier met respect hoorde spreken over het middle-office. Soms was de toon neutraal, zoals bij de rock-'n-rollhandelaar: 'Mensen zien ons als gokkers, maar een enorm risico nemen is voor mij heel moeilijk. Je hebt risk & compliance, en risicolimieten. Als ik gigantische aankopen doe met een potentieel verlies dat mijn limiet te boven gaat, zal iemand dat zien.'

Maar meestal reserveerde het front-office voor interne controles hetzelfde woord als voor toezichthouders: sukkels.

Zakenbanken zijn als de dood om gepakt te worden op overtreding van de regels, en alles wordt juridisch afgedekt en dichtgetimmerd, benadrukte iedereen bij interne controles. Maar dat wil niet zeggen dat wij de macht kunnen en mogen uitoefenen die we in theorie hebben om wangedrag te voorkomen.

Onze ondergeschikte positie zit gewoon in het DNA van zakenbanken, meenden sommigen. Ten eerste is het heel moeilijk een verlies te becijferen waarvoor je de bank hebt behoed door 'nee' te zeggen. Maar als een deal doorgaat, kan de zakenbankier wel een getal verbinden aan de gemaakte winst.

Belangrijker nog: het front-office verdient het geld waaruit het middle-office wordt gefinancierd. Daardoor is de status van laatst genoemde automatisch lager.

Dat klonk overtuigend, maar er is een diepere verklaring. Want pak er een geschiedenisboek bij, en de jammerklachten van het middle-office vallen als puzzelstukjes op hun plek.

Het salaris van de risicomanagers kwam inderdaad altijd al uit de omzet van de risiconemers. Het grote verschil is dat deze risico- managers vroeger veel meer macht hadden.

Van oudsher werkten zakenbankiers in de City en op Wall Street in kleine partnerschappen, waarbij het management grotendeels samenviel met de eigenaren. Partners waren hoofdelijk aansprake- lijk en verdienden bij winst een mooie *bonus*, maar als het misging moesten ze bloeden, de *malus*.

Vanaf midden jaren tachtig gingen deze partnerschappen stuk voor stuk naar de beurs, of ze werden opgekocht door beursgeno- teerde consumentenbanken die dankzij de deregulering mochten gaan zakenbankieren. Deze namen in de hele wereld andere ban- ken en firma's over en eindigden als *too big to fail*.

Zo veranderde in relatief korte tijd de eigendomsstructuur van banken radicaal. Door de beursgang ligt het risico voortaan bij de aandeelhouders, terwijl bankiers deels worden betaald in aandelen en opties. Hoe hoger de koers, des te meer die waard zijn, en de beste manier om de koers te laten stijgen is meer winst – bijvoor- beeld door meer risico te nemen.

En door 'too big to fail' deelt vervolgens ook de belastingbetaler in de risico's die de bank neemt. De City heeft voor deze nieuwe situatie een uitdrukking: 'Het is maar OPM', ofwel *other people's money.*

Een front-office bankier met een lange staat van dienst had de tijd nog meegemaakt dat zijn bank een partnerschap was. Hij vertelde met een knipoog hoe hij destijds een keer een 'razend knap' financieel product had uitgedacht, en dit voorlegde aan de *head of trading* – de baas van de handelsvloer: 'Kijk eens hoe slim dit is en hoeveel geld we daarmee kunnen verdienen!' De head of trading was partner, en had gezegd: 'Vergeet het maar. *This is my money you're fucking with* – Het gaat hier om mijn geld, klojo.'

'Dat was toen het systeem,' blikte de oudere bankier terug. 'Je had de aandeelhouder naast je zitten.'

Het was een eyeopener hoe *nieuw* de zaken- en megabank in hun huidige vorm zijn. Je hoort vaak dat banken 'te veel risico nemen'. Maar pak de structuur van die banken erbij en je ziet dat de *ownership* van die risico's het echte probleem is.

Sinds de beursgang en 'too big to fail' zijn degenen die de risico's nemen niet langer degenen die deze risico's dragen. Waarmee de rol van risk & compliance wezenlijk is veranderd. Vroeger zaten ze er namens de partners, die alle reden hadden een desastreus verlies te vrezen. Dat gaf macht. Tegenwoordig dient risk & compliance om de aandeelhouders, de toezichthouder en de belastingbetalers gerust te stellen. Want die dragen de risico's.

Nu begreep ik wat professionele beleggers bij private equity, hedgefunds en venture capital bedoelden als ze schamperden dat beursgenoteerde 'too big to fail'-banken weinig met de vrije markt te maken hebben. Bankieren anno nu is 'Russische roulette spelen met andermans hoofd', luidt in die kringen een populaire uitdrukking. Want *heads I win, tails you lose*: bij kop profiteer ik, bij munt verlies jij. En: kapitalisme zonder faillissementen is als katholicisme zonder hel.

*

En toen kwam er op een dag een e-mail binnen met de simpele boodschap: 'Ik zou graag een keer praten over een kant van zaken-banken die veelal ongezien blijft.'

5
De Wereld van *Zero Job Security*

'Het is *amazing* hoe snel het nieuws zich verspreidt. Als een golf van paniek die over de handelsvloer slaat. Mensen hebben het meteen door wanneer de telefoon gaat. Hoe onschuldig we ook zeggen: "*Hi*, zou je misschien even naar de twintigste verdieping kunnen komen?", ze weten wel beter: niemand krijgt een dergelijk onverwacht telefoontje, tenzij... Met van angst vertrokken gezichten komen ze boven. Sommigen hebben al een tas met persoonlijke eigendommen bij zich. Zo'n eerste gesprek duurt vijf minuten. Daarna begeleidt security ze naar buiten. "*They've got me now*," roept er soms eentje, terwijl die voor het laatst langs collega's loopt.' – Ze hebben me te pakken.

Het was zo'n milde herfstavond dat we nog buiten konden zitten, en na een deskundige blik op de wijnkaart had ze zojuist een glas Haut Poitou Sauvignon Blanc besteld. Ze was eind twintig en werkte bij *human resources*.

Bij dat eerste gesprek op de twintigste verdieping weigeren velen haar een hand te geven of haar aan te kijken, vertelde ze verder. 'Het is veel makkelijker om je woede op mij te koelen dan op je manager met wie je jaren hebt gewerkt. Managers schuiven alles op ons: "Luister, je gaat ontslagen worden. Zij doet de rest." Dan moet ik het overnemen.'

Vaak zijn mensen zo in de war dat ze niks onthouden, zei ze. 'Bijvoorbeeld dat ze misschien worden herplaatst elders bij de bank. Bij het tweede gesprek enige tijd later weten velen daar niets meer van. Sommigen zijn heel stil, anderen juist woest. Meestal hebben ze eindeloos op Google gezeten, maar zelden met het resultaat dat ze hun juridische positie goed snappen. Als iemand wordt ontslagen, gaat het over geld. Voor ieder jaar bij de bank krijg je 400 pond. Wij bieden veel meer, in ruil waarvoor mensen ons niet aanklagen. Het is een soort chantage die *enhanced severance* wordt genoemd.'

Ze nam een slokje wijn en zei dat Amerikaanse collega's deze procedure enorm omslachtig vinden. 'Bij hen gaat ontslaan nog veel makkelijker.'

Het is *soul destroying* werk, vervolgde ze: een aanslag op de ziel. Voor de bankiers en ook voor haar. Haar bank opereerde mondiaal en alles moet in één tijdspanne van 24 uur zijn afgehandeld. 'Ik word een soort robot. Telkens dezelfde formuleringen. Soms zeggen managers daar wat van. Wat willen ze dan? Ik moet een boodschap overbrengen en deze formuleringen zijn daarvoor het meest geschikt.'

Buitenlanders met een werkvisum moeten soms binnen dertig dagen het land uit. 'Die hebben hier vrienden, een partner...' Soms hebben mensen de bonus voor het komende jaar al uitgegeven. 'Nu krijgen ze niks – mede daarom worden zoveel mensen net voor oudjaar ontslagen. Blijft er meer over voor de achterblijvers.'

Wow, dacht ik na dit gesprek in de metro terug naar huis, en enige tijd later kon ik dezelfde ervaring vanuit het andere perspectief optekenen.

Ze was eind dertig en had al flink wat jaren ervaring bij een megabank in een ondersteunende functie. In eerste instantie had ze zich voor een interview aangemeld omdat ze lezers een 'realistischer' en minder negatief beeld van megabanken wilde schetsen. Een paar keer had ze de afspraak afgezegd, want 'er was iets tussen gekomen'. Ik bleef mailen en toen konden we afspreken.

'Het is zwaar,' begon ze. 'Je werkt tussen de tien en vijftien uur per dag, brengt meer tijd door met collega's dan met vrienden of zelfs je partner. Je wordt onderdeel van die plek. En dan...'

'De communicaties' heetten ze in haar bank, en zo'n dag is *crazy*, zei ze, *totally crazy*. Telkens als er een telefoon gaat kijkt iedereen elkaar aan. Een klant? Of Personeelszaken? Als iemand meteen opstaat en de persoonlijke eigendommen pakt, weet je: Personeelszaken. Soms is er applaus, als iemand heel geliefd was of gerespecteerd.

Daar zat ze aan haar bureau. Als een heel team eruit gaat, wordt eerst de manager naar boven geroepen. Die roept de teamleden een voor een bij zich om ze te ontslaan. Daarna wordt-ie zelf ontslagen.

Telkens wanneer haar manager die ochtend opstond, volgde ze hem met haar ogen. Rechtsaf was de wc, linksaf Personeelszaken. Toen sloeg-ie links af. Even later ging haar telefoon en ze zei tegen haar collega: 'Die ga ik niet opnemen. Ik ga die niet opnemen.' Maar dat deed ze natuurlijk wel.

Ze had nog even terug gemogen naar haar bureau. Een gunst. 'Ik stuurde meteen een e-mail naar een collega over een project. Ik bedoel, ik wilde niet dat dingen *tits-up* naar de tering gingen; we hadden daar zo lang aan gewerkt. De dagen ervoor had ik al collega's ge-cc'd, zodat ze alle belangrijke informatie hadden.'

Het was even stil en ik bestelde nieuwe koffie. Ze had dus van alles ondernomen om haar bank te beschermen tegen de mogelijke schade als gevolg van haar plotselinge ontslag?

Ze was niet bitter, zei ze, en in zekere zin was het zelfs een opluchting geweest. Ieder kwartaal een ontslaggolf, al vier jaar lang. Doodmoe was ze van het permanente speculeren: 'Denk je dat het aanstaande dinsdag is? Wie zal eruit gaan?' Het polsen van de manager: 'Moet ik me op iets voorbereiden?'

Ze nam een slok koffie en herhaalde dat ze niet bitter was. Integendeel. Ze hoopte snel weer in de financiële wereld een baan te vinden: 'De combinatie van competitief, complex, dynamisch...

met gelijkgestemde mensen. Tel daar het salaris bij op en je hebt de perfecte sector voor mij.'

Had ze ergens spijt van? Ze dacht even na: 'Deze zomer heb ik een echt goede baan elders laten lopen. Ik was trouw aan mijn "disfunctionele familie", zoals ik mijn bank altijd noemde.'

Een laatste slok van haar koffie en toen zei ze bijna opgeruimd: 'Ik ben te loyaal geweest. Geen idee of dat typisch vrouwelijk is. Maar ik weet wel dat ik die fout niet nog eens maak.'

Dit was inderdaad een kant van zakenbanken die 'veelal ongezien blijft', zoals de personeelsfunctionaris het in haar e-mail had uitgedrukt: mensen in de City hebben geen ontslagbescherming.

Geen van de bankiers die ik tot dan toe had gesproken, was begonnen over het systeem van *zero job security* waarin ze werkten, maar nu wist ik waar ik naar moest vragen, en in nieuwe interviews volgde de ene *horror story* op de andere.

Je buurman neemt de telefoon op, zegt: '*Good luck everyone*' en is verdwenen, voor altijd. Of een collega belt je op je bureau: 'Kun je mijn jas en tas komen brengen?' Ze staat buiten en mag er niet meer in.

Je denkt dat een collega met vakantie is, en opeens zit er een nieuw iemand op haar stoel. Of je zit samen te werken aan een project, en dan zeg je na een snelle omhelzing '*Well, bye*', want security staat klaar om je collega het gebouw uit te escorteren.

Je loopt 's morgens naar het poortje en hoort *biep*. Nietsvermoedend wend je je tot de portier, die na een blik op de computer zegt: 'Gaat u even in die ruimte zitten, dan brengt iemand uw spullen.'

Tijdens een overleg stel je Natalie voor een bepaalde klus voor, en je baas schudt zijn hoofd: 'Natalie werkt hier niet meer.' Je vraagt: 'Uit vrije keuze?' En zo kom je erachter dat je collega is ontslagen.

Een dealmaker die recentelijk uit eigen beweging was opgestapt had regelmatig mensen zien huilen, bijvoorbeeld toen zijn bank een populaire collega 'liet gaan'. 'Echt iedereen was verbaasd. Niet alleen was-ie heel aardig en professioneel, hij verdiende veel geld voor het team. De tranen sprongen hem in de ogen en ik weet zeker dat hij buiten in huilen is uitgebarsten. Maar hij was nog niet weg of zijn bureau werd opgeruimd en ons teamhoofd zei iets van: "Hij was een geweldige vent, maar *business is business*, dus terug aan je werk en geld verdienen." Vanaf dag één heb je naast die gast gezeten, hij verdwijnt en... *back to business*. "Iedere dag kom je één stapje dichter bij je ontslag." Dat zei mijn baas altijd.'

'Executies' werd dit soort plotselinge ontslagen genoemd, en er was nog een categorie. Banken als Goldman Sachs en JPMorgan ontslaan standaard elk jaar de slechtst presterende paar procent – ook in jaren van enorme winst. De term is *cull*, hetzelfde woord voor het ruimen van zieke koeien op een veehouderij, of het afschieten van een te talrijk geworden soort in een natuurgebied. Je krijgt dan zinnen als: '*Oh yes, we cull*' – Jazeker, ook wij slachten. Of: '*When the cull comes...*' – Wanneer de ruiming begint.

Een jonge dealmaker legde uit dat bij zijn bank iedereen elkaar elk halfjaar beoordeelde bij zogeheten 360 graden-*feedback reviews*. Je belandt dan in categorieën, van *excellent performer* via 'voldoet aan verwachtingen' tot aan de onderste tree. Je werkt dus samen met teamleden, maar concurreert ook met ze. 'Het laat zich raden dat vrienden elkaar goede evaluaties geven.' Slechts 3 procent kan excellent performer zijn, en je weet dat de slechtst geëvalueerden er aan het eind van het jaar 'af worden geknipt', zoals hij dat noemde.

Bij dit soort verhalen en uitdrukkingswijzen voelde ik me soms een watje uit een Noordwest-Europese verzorgingsstaat, met zijn 'vangnetten', collectieve arbeidsovereenkomsten en 'sociaal overleg'. En dit gevoel werd nog versterkt doordat zakenbankiers duidelijk anders dachten en spraken over plotseling ontslag dan het back- en middle-office.

Zakenbankiers noemden een ontslagronde een *clean-up* van *bodies* of *bums on seats* – een grote schoonmaak van konten op stoelen. Een zakenbankier van begin veertig vertelde dat iedereen op zijn afdeling altijd deed alsof ontslagen collega's zelf waren opgestapt. 'Het klinkt beter, en in 10 procent van de gevallen klopt het ook. Vergelijk het met soldaten in een vuurpeloton. Daar krijgt ook altijd eentje een dummy. Als je zegt: "Hij is ontslagen", kun je gaan denken: Hé, dat was een goeie gast. Als het hem kan overkomen... Dus zeggen we tegen elkaar dat de collega is "doorgegroeid naar een nog betere baan".'

Stoerheid is de norm in het front-office, en door bij plotseling ontslag geen krimp te geven, toon je uit wat voor hout je gesneden bent. Maar wat zeker zo belangrijk is: omgekeerd zijn zakenbankiers net zo ontrouw.

Veel dertigers hadden al drie of vier namen van banken op hun cv staan, want zo werkt het op veel plaatsen in de City: wie veel wil verdienen moet vaak van baan wisselen. Mensen vertelden over hele teams die werden weggekaapt, van de ene bank naar de andere en soms weer terug – waarbij iedereen na afloop extreem veel meer verdiende dan ervoor.

Via via benaderde ik headhunters, en die bevestigden dat dit systeem in de City de norm is, helemaal in de *boom*-jaren voor 2008. Een recruiter met zo'n tien jaar ervaring, relaxed en sociaal vaardig, werd een vast contact. Zijn favoriete lunchplek was een traditioneel Engelse pub in het historische hart van de Square Mile, dus daar zaten we regelmatig met een pint bier en iets op mijn bord dat *steak and kidney pudding* heette.

Soms belt een bankier die vermoedt dat hij elders meer kan verdienen, legde hij uit. Soms belt een bank die in een bepaalde niche wil uitbreiden. En soms belt een bank omdat er iemand bij ze is weggekaapt.

Daarom worden recruiters gezien als parasieten, grinnikte hij schuldbewust. Ze profiteren van de gaten die ze zelf slaan.

Hij had inmiddels met zo'n duizend handelaren gesproken, schatte hij. 'Gasten van soms nog geen dertig die 2 of 3 miljoen verdienen. Dat stompt af. Gisteren nog sprak ik iemand die 150 000 pond verdient. Eerst dacht ik bij mezelf: Arme jongen, hij is behoorlijk goed in zijn werk en kan elders het dubbele krijgen. Toen besefte ik: *Arme jongen?* Die gast verdient anderhalve ton!'

Veel front-office figuren spreken over hun baan als over een deal of een trade, had hij gemerkt: puur transactioneel. 'Dan zeggen ze: "We had a bid out on someone, best guy in the street, but he didn't feel it was the right trade at this point in his career." Dus *bid* voor het geboden salaris, *street* voor hun niche in de financiële wereld, en *trade* voor de overstap zelf.'

Wat waren voor hem de spannendste momenten in zijn werk? 'Het moment waarop cliënten hun ontslag indienen bij hun directe manager. Ze sluiten je dan meteen op in een kamer en sturen steeds hogere mensen langs om je om te praten. Jou vervangen kost tijd en geld, verstoort lopende projecten... Een kwartier iemand bewerken om dat te voorkomen is een verstandige tijdsinvestering voor een topbankier.'

Recruiters smeken mensen bijna om niet te onthullen waar ze naartoe gaan, zei hij. Want de bank haalt dan iemand die daar heeft gewerkt, die gaat vertellen hoe vreselijk het daar is, dat je baan heel anders zal blijken dan voorgespiegeld... Helaas geven mensen die voor het eerst ontslag nemen steevast de naam van hun nieuwe werkgever prijs, wist hij. 'Achteraf zeggen ze allemaal dat dit hun grootste fout was.'

Het kan er hard aan toegaan, zei hij, en hij vertelde van een cliënt die haar ontslag indiende, terugkeerde naar haar bureau en ontdekte dat niemand nog met haar wilde praten. Aan een heel goede vriendin vertelde ze waar ze heen ging. 'Die gaf het meteen door aan hun manager. Mijn cliënt heeft daar een klap van gehad. Opeens sta je buiten de groep.'

Een andere recruiter met wie ik regelmatig een broodje at, ver-geleek de eerste keer ontslag met een rite de passage, een ritueel waar je doorheen moet om erbij te horen. 'Denk aan de jonge voetsoldaat bij de maffia die voor het eerst wordt gearresteerd. Hou je net als de jonge Ray Liotta in *Goodfellas* de rug recht, dan ben je daarna deel van de familie.'

*

In zijn klassieker *Liar's Poker* vat de Amerikaanse schrijver en oud-bankier Michael Lewis de mentaliteit achter dit *hire & fire*-systeem samen als: 'Op zoek naar loyalitcit? Dan moet je een hond kopen.'

En waarom zouden bankiers niet net als voetballers op zoek mo-gen naar de best betalende club? Zeker omdat de financiële sector extreem gevoelig is voor ups en downs in de economie. Hoe mak-kelijker banken van mensen af kunnen komen, des te sneller ne-men ze hen ook weer aan.

In twee jaar heb ik niemand in de City horen pleiten voor ont-slagbescherming, maar velen waren extreem negatief over de sfeer op hun werk, en daarop doorpratend kwamen we vaak uit op het hire & fire-systeem. Om het populistisch te zeggen: mensen zijn geen apparaten. Een machine die ieder moment afgedankt kan worden is zich hier niet van bewust en functioneert hetzelfde als een machine waarvoor tot in lengte der dagen een knus plekje in de fabriek is gereserveerd. Mensen worden beïnvloed door hun besef van kwetsbaarheid, en passen hun gedrag erop aan.

De compliance officer die vertelde dat haar soort door het front-office wordt beschouwd als 'humorloze grensrechters', sprak on-verbloemd van een 'klimaat van angst'. Ze was in de dertig, en we troffen elkaar voor een lunch in de City. Ze bestelde een cola light en soep, stak een sigaret op en barstte los.

'Voor risk & compliance is het essentieel dat mensen eerlijk en open durven praten. Ze moeten erop kunnen rekenen dat je niet direct op de *panic button* drukt, of de toezichthouder belt, of de baas – wat eigenlijk hetzelfde is als de paniekknop. Je moet het soort gesprekken kunnen hebben dat journalisten *off the record* noemen. Alleen zo kom je erachter wat er echt speelt. Maar als er iets misgaat horen wij dat als risk & compliance meestal als laatste.'

Iedereen is bang, zei ze, en niemand vertrouwt een ander. 'Denk aan je salarisstrookje,' zeggen mensen. En: 'You don't want to rock the boat too hard.'

Ze vertelde hoe ze de eerste keer een bespreking in ging bij een afdeling waar ze routinecontroles kwam doen. 'Ik pakte mijn aantekeningenboek en mijn baas zei: "Wat doe je nou?" Ik zei: Eh... aantekeningen maken? Niets noteren waar mensen bij zijn, reageerde hij, want ze klappen dicht. Schrijf het achteraf op uit je geheugen.'

Een tweede tip: nooit e-mails deleten. 'Zodat je je kunt verdedigen. In het begin dacht ik: Als ik iets fout heb gedaan, is het logisch dat ik daar de verantwoordelijkheid voor neem. Waarom is iedereen zo defensief?'

Maar als je wil overleven moet je zorgen dat niemand je in de rug kan aanvallen, had ze snel genoeg gemerkt. '*Arse covering* is cruciaal. Ook als je niks fout doet, krijg je mogelijk de schuld. Dan heb je die e-mails nodig.'

Ze stak nog een sigaret op en stelde vast dat bij risk & compliance de angst en onzekerheid op twee niveaus doorwerken: je komt niet bij de informatie omdat iedereen bang is die te delen. En mocht je er toch bij komen, dan denk je wel drie keer na voor je er iets mee doet. Ook jij kunt er zo uit vliegen.

Haar salaris was 'ver onder de 100 000 pond' en dat vond ze nog steeds 'veel te veel' voor wat ze in haar ogen toevoegde aan de maatschappij: 'Bijna niets.' Bij dit werk, zei ze, verkoop je je ziel voor geld. 'Ik zit daar enorm mee. Veel anderen niet. *No way* dat ik hier tot mijn pensioen blijf werken.' Terwijl we het terras van het restaurant af liepen, slaakte ze een diepe zucht: 'Dat lucht op zeg, om dit allemaal eens uit te spreken.'

Menigeen in het middle- en back-office kwam uit op dezelfde conclusie: Bij mijn bank heerst angst.

Een compliance officer van in de veertig vertelde dat alle handelsvloeren waar hij de afgelopen tien jaar had gewerkt in 'permanente staat van onrust' verkeerden. 'Door de ontslagrondes.' Zijn afdeling was eens gemeld dat ze twaalf mensen zouden moeten 'laten gaan'. *Just like that,* zei hij. 'Dat vond ik het meest verbijsterend: hoe kan iemand gewoon een getal prikken en zeggen: Zoveel ontslagen?' Minstens zo opvallend vond hij de reactie van collega's: 'Vrijwel geen verzet. Zo flegmatiek! De leiding zei gewoon: "*You need to bite the bullet*" – Incasseren, jullie.' Toen werd de beslissing teruggedraaid en kreeg zijn team er juist veertig mensen bij. 'Zonder enige uitleg.'

Wanneer het zo makkelijk is om mensen te ontslaan, verliezen topmanagers snel hun empathie, had de medewerker Personeelszaken gemerkt. 'Ik heb heel hoge mensen van dichtbij gezien, en een aantal heeft enorme tekortkomingen. Ze kunnen iemand er zomaar uit gooien. Dan word ik bij zo'n hoge figuur geroepen en vraag: Wat is de ontslaggrond? In de daaropvolgende dagen komt er meer informatie over de ontslagkandidaat voorhanden en blijkt dat de hoge figuur een enorme misrekening heeft gemaakt. Heel vaak weigert zo iemand terug te komen op zijn beslissing.'

Een doctor in de theoretische natuurkunde die als risicoanalist bij een megabank terecht was gekomen, ging in haar vrije tijd regelmatig demonstreren tegen de huidige opzet van de financiële sector. Ze omschreef haar bank als 'een verzameling afdelingen in permanente burgeroorlog'. Er is zoveel wantrouwen, legde ze uit. 'Ik werd een keer onder druk gezet om met de cijfers te rotzooien.

Anders zouden we het vertrouwen van een andere afdeling verliezen. Dat is niet makkelijk voor een christen zoals ik. Uiteindelijk wist ik het zo op te lossen dat ik de cijfers anders presenteerde, maar zonder te liegen.'

Mensen omschreven hun werkvloer als 'intens politiek'. Alles kan tegen je worden gebruikt, iedereen is constant aan het manoeuvreren en bij fouten krijg je *feeding frenzies*, als haaien bij bloed. Iedereen doet mee, om zich uit alle macht te distantiëren van de fout. En uithoren natuurlijk: 'Wat vind jij nu van die en die?'

'De neiging alles altijd aan anderen te wijten was zo sterk bij mijn bank,' vertelde de PR & Communicatie-medewerker die haar interview als een biecht beschouwde. 'Je bent nog niet weg of je reputatie ligt aan stukken. Het is gewoon te makkelijk om degene die er niet meer is overal de schuld van te geven.'

Deze *blame culture* was nog erger in het middle- en back-office, zei ze. 'Ik weet ook niet waarom. En vrouwen lijken erger dan mannen, *I hate to say*.'

*

Na een aantal van dit soort verhalen kreeg ik bijna medelijden met mensen bij zakenbanken, en dat was voordat ik oog kreeg voor een tweede consequentie van nul ontslagbescherming.

'Deze sector kent zo'n verspilling van menselijk kapitaal,' zuchtte de saleshandelaar van eind veertig die eerder bonussen als 'theater' en een 'ritueel' omschreef. Hij had vele lichtingen managers zien langskomen: 'Een nieuw iemand komt binnen en *beng*, hij gooit er 10 procent uit. Als de economie niet aantrekt en de overgebleven 90 procent weet voortaan al het werk te doen, staat deze nieuwe figuur er geweldig op. Hij heeft in de kosten gesneden en de inkomsten stabiel gehouden. Maar nu trekt de economie aan en zijn wij hopeloos onderbezet... Zo run je geen business, maar zo wordt menig team of afdeling gerund.'

De rock-'n-rollhandelaar had in zijn carrière nog bijna nooit iemand iets zien proberen op te bouwen: 'Cyclus na cyclus van nieuwe managers. Ze hebben een plan om binnen drie of vier jaar de opbrengsten omhoog te trekken. De druk is enorm, en de makkelijkste manier om meer te verdienen is meer risico nemen.' Denk aan het ritme van verkiezingen, zei hij. 'Nieuw management loopt de cijfers door en zegt: die *desk* of dat team bereikt te weinig. Ze gooien de baas eruit en halen een nieuw iemand binnen, voor zoveel miljoen. Die trapt er nog vier uit en neemt zijn eigen mensen aan. Blijkt het na drie jaar niet te werken, gooit de bank deze vijf er weer uit, en begint het opnieuw.'

Als je binnen vijf minuten buiten kan staan, wordt ook je horizon vijf minuten. Dat was de kern van de verhalen over het systeem van zero job security. Niet alleen loyaliteit verdampt, maar ook de continuïteit, want niemand kan ergens op bouwen. Zo eindig je heel snel met de wet – of beter: de wetteloosheid – van de jungle. Hoe realistisch is het dan te verwachten dat 'interne controles' hun werk kunnen en durven doen?

Ik vroeg het aan een vaste lezer van de blog, die zo bang was voor herkenning dat ik zelfs zijn leeftijd niet mocht vermelden. Ruim tien jaar werkte hij nu bij risk & compliance, en hij zei: 'Volgens mij snap jij nog altijd de banken niet.' Buitenstaanders zien hebzucht, wist hij, 'maar ik zie vooral machtspolitiek, conformisme en angst'.

Ook hij had *Fool's Gold* gelezen, het standaardwerk van antropologe en *Financial Times*-journaliste Gillian Tett over de bedenkers en bouwers van de in 2008 ontplofte producten. Volgens Tett is het probleem binnen zaken- en megabanken dat iedereen in 'silo's' en 'kokers' zit, waardoor informatie niet meer circuleert. Herken je dat, vroeg ik, en hij knikte. Maar vergeet niet hoe het klimaat van angst je dwíngt in je koker te blijven, zei hij. 'Mijn manager wil absoluut niet dat ik contact heb met zijn baas – want deze mag geen alternatieve bron van informatie hebben. Het is cruciaal voor mijn manager dat hij de pijplijn naar zijn baas monopoliseert.'

Hij zuchtte nog eens: 'We moeten af van het idee van "de" bank. Die term impliceert een samenhangende organisatie. Wat je hebt is een verzameling individuen in machtsposities. Ieder managet de eigen "wereld". Zo praten ze er ook over: "mijn wereld", of bij sommige banken: "mijn organisatie". Je werkt niet voor de bank, je werkt voor een persoon en die heeft een "wereld" om zich heen.'

Kijk hoe gefragmenteerd nieuwe regels verwerkt worden, zei hij. 'Iedereen pikt er enkel uit wat voor "zijn wereld" relevant is.' Daarom zijn ontslaggolven cruciaal. 'Door mensen eruit te gooien, schep je ruimte voor nieuwe figuren die bij jou in het krijt staan. Zo bouw je een "wereld".'

We moeten af van het idee van 'de' bank. Die zin galmde na, en zou steeds begrijpelijker worden.

6
Ieder voor Zich en *Caveat Emptor*

'Perverse prikkels' heten ze in de psychologie: beloningen voor on-gewenst gedrag. Steeds meer begon ik er te ontdekken, en zo werd bijvoorbeeld het dot.com-schandaal van rond de eeuwwisseling begrijpelijk.

Destijds had de ene groep zakenbankiers tegenover beleggers en financiële media jarenlang waardeloze internetstart-ups gehypt, terwijl collega's van dezelfde bank deze bedrijfjes voor riante com-missies en fees naar de beurs brachten. Hoe had dat kunnen ge-beuren? Het makkelijke antwoord was 'hebzucht', maar kijk naar de prikkels en je ziet de logica.

Zoals gezegd werkten zakenbankiers in de City en op Wall Street tot midden jaren tachtig in partnerschappen. Deze hadden een naam te verliezen, en mensen werkten er vaak een leven lang.

Maar er is nog een belangrijk verschil tussen de prikkels bij beursgangen toen en nu. Tot de jaren tachtig had je aparte firma's voor beurshandel, aparte firma's voor vermogensbeheer, en aparte firma's voor dealmaking, zoals beursgangen, fusies en overnames – destijds *merchant banking* genoemd. Tegenwoordig zitten deze activiteiten onder één dak, en het gevolg is dat de zakenbank ener-zijds wordt betaald door de ondernemer om diens bedrijf voor een zo hoog mogelijke koers op de beurs te krijgen, terwijl de zaken-bank tegelijkertijd beleggers adviseert of de prijs van de aandelen bij die beursgang niet te hoog is.

Dat is een belangenconflict van de eerste orde, zeker omdat beursgangen niet alleen fees opleveren, maar banken ook de mogelijkheid geven aandelen die naar verwachting direct sterk in prijs zullen stijgen toe te spelen aan bevriende klanten en relaties – bijvoorbeeld in ruil voor andere business. Of zulke 'hete' aandelen voor zichzelf te houden, en direct na de beursgang te verzilveren.

Deze belangenconflicten maakten het dot.com-schandaal mogelijk, en sindsdien hebben zakenbanken zogeheten Chinese Muren tussen hun activiteiten moeten zetten. Deze zouden voorkomen dat koersgevoelige informatie van de ene afdeling naar de andere lekt, of dat bankiers bij de ene activiteit collega's elders onder druk zetten om tegen klanten te liegen over de werkelijke waarde van een beursgang.

Zoals de Chinese Muren ook moeten voorkomen dat de fusies & overnames-bankier die Shell adviseert over een koersgevoelige aan- of verkoop, deze informatie deelt met een collega bij *sales trading* die zijn geld verdient door klanten over te halen om te handelen in... aandelen Shell. Of met een collega bij vermogensbeheer, die het kapitaal van klanten belegt in bijvoorbeeld... Shell. Of met de collega bij prop *trading*, die het kapitaal van de bank zelf belegt in, ik zeg maar wat, aandelen Shell.

Wie bewaken en patrouilleren deze Chinese Muren? Het middle-office.

Stel dat een krant als NRC of *De Standaard* zou fuseren met een politiek lobbykantoor en een PR-adviesbureau, en vervolgens zou verklaren: Maakt u zich geen zorgen, lezer, onze journalisten gaan heus niet anders berichten over politici die tegelijk klant zijn bij onze lobby en PR-afdelingen. Want wij hebben 'Chinese Muren'.

Nu ik dit zo opschrijf, denk ik: Hoe kon je destijds nog geloven dat het wel goed zat met de zakenbanken en het toezicht daarop? Maar de behoefte aan ontkenning gaat diep, en los daarvan is het een eerbaar antropologisch principe conclusies zo lang mogelijk op te schorten. Wie zich op een interpretatie vastlegt, verliest een deel van zijn onbevangenheid.

Dus ik interviewde door, en stuitte zo op een intrigerend contrast. Mensen in de City hebben een chic voorkomen en imago, maar soms had ik eerder het idee dat ik naar een goed geklede voetbalhooligan zat te luisteren dan naar de fine fleur van de *haute finance*. De beurs gaat op en neer als de 'vitrage van een raamhoer', na een fout ben je *fucked*, en dingen gaan niet mis, maar tits-up.

Wat zat hier achter? Een deel is gewoon bravoure en traditionele handelsvloerhumor. In *City Boy*, de gefictionaliseerde autobiografie van een medewerker bij een grote bank, probeert de hoofdpersoon mee te komen op de handelsvloer en vraagt pesterig aan de dominante handelaar waarom hij zo dik is. Antwoord: 'Omdat ik iedere keer dat ik jouw vrouw neuk een koekje van haar krijg.'

Dat was gevat, maar regelmatig beschreef iemand een lucratieve trade of deal ongegeneerd als *rape & pillage* – verkrachten en brandschatten. Menigeen zei bijna schouderophalend: In de financiële wereld geldt: *have lunch or be lunch* – eten of gegeten worden. *Sheep get slaughtered*, en als je de kans krijgt, trek je klanten 'het vel van hun gezicht'.

Het is gewoon de aard van het beestje, meenden sommigen. Beurshandel is *zero-sum*: Ik kan alleen winnen als jij verliest, en andersom. Bij iedere trade is er eentje de sukkel en als jij niet weet wie dat is, ben je het waarschijnlijk zelf. Zo'n wereld is niet voor watjes, en vandaar ook de militaristische taal: 'werken in de loopgraven', 'geen krijgsgevangenen nemen'...

Het klonk aannemelijk, behalve dat bankiers bij andere activiteiten dan trading net zo grof in de mond konden zijn.

Was er een verband tussen de *tough guy*-bankierstaal en de crash en schandalen: belangenconflicten, prikkels of een overkoepelend principe waar zo'n houding in paste?

Deze vraag gistte verder, toen in het voorjaar van 2012 de al genoemde Greg Smith een mondiale mediastorm ontketende met een vlammend stuk op de opiniepagina van *The New York Times*: 'Waarom ik wegga bij Goldman Sachs'. Smith had in aandelenderivaten gezeten en beschreef zijn handelsvloer in Londen als een 'giftige en destructieve' omgeving, waar over klanten werd gesproken als *muppets* – Londens slang voor 'idioten' of 'sukkels'.

Smith kondigde een boek aan, en in de tussentijd besloot ik zijn tegenspelers bij concurrerende banken te benaderen. Via via kwam ik aan telefoonnummers, en tot mijn grote geluk wilde een vijftal bouwers en verkopers van zulke producten wel praten. 'Wat wil die Smith nou?' reageerden ze in koor. 'Hij weet toch van *caveat emptor*?'

'De financiële wereld kent twee categorieën klanten, legde een bouwer van aandelenderivaten uit. 'Individuele consumenten – gewone mensen, zeg maar – zijn heel redelijk beschermd. Maar voor professionele beleggers en grote spelers binnen de markt geldt: *Anything goes* – Doe wat je wilt. De gedachte is dat zij horen te weten wat ze doen. *Caveat emptor* heet dat – Latijn voor "Weet wat je koopt".'

'Als jij je product voor de dubbele prijs kon verkopen, zou je dat doen?' vroeg een tweede bouwer van zulke producten. 'Ik zou zeggen dat dit in het zakenleven geoorloofd is. Mits je de klant voldoende informatie geeft. Dat is een belangrijke regel bij complexe producten: lees de kleine lettertjes. Haal er een advocaat bij die uitlegt wat je op het punt staat te kopen – anders is er informatie-asymmetrie.'

'Caveat emptor' bleek een normale juridische term, en erop doorpratend kwamen we bij het overkoepelend principe: 'amoraliteit'.

Let op, zei iedereen: '*A*-moreel' betekent niet slecht of *im*-moreel. Amoreel wil zeggen dat de termen 'goed' en 'kwaad' in discussies überhaupt niet voorkomen. We kijken niet of een plan moreel deugt, maar hoeveel 'reputatierisico' het in zich draagt. Bedrijven of rijke families helpen binnen de wet belastingen te ontwijken heet 'belastingoptimalisatie' met *tax-efficient structures* ('belasting-efficiënte arrangementen'). Coulante externe advocaten en toezichthouders zijn *business-friendly*, gevallen van bewezen oplichting zijn *mis-selling* en wie legaal profiteert van een inconsistentie tussen toezicht in twee landen doet aan *regulatory arbitrage*.

Als je erop gaat letten zie je overal voorbeelden: het vocabulaire waarmee mensen in de financiële wereld spreken en nadenken over hun eigen functioneren is waar mogelijk ontdaan van woorden die een ethische discussie kunnen losmaken. Het grootste compliment in de City is dan ook iemand 'professioneel' noemen. Het betekent dat jij op je werk emoties buiten beschouwing weet te houden, inclusief morele overtuigingen – die zijn voor thuis. De term 'ethiek' kwam eigenlijk alleen voorbij in combinatie met het woord 'werk' – en betekende dan zoiets als 'absolute gehoorzaamheid en toewijding aan baas en bank'.

*

Een paar geïnterviewden hadden echt moeten wennen aan de amorele cultuur van de financiële wereld: 'Ik weet nog dat ik als een buitenaards wezen werd aangekeken als ik bij mijn bank een mening onderbouwde met morele argumenten,' herinnerde iemand zich. Een ander vertelde dat ze in haar eerste week had gevraagd naar het maatschappelijk nut van een bepaald financieel product, en prompt werd uitgescholden voor 'socialist'.

Maar de meesten spraken over de amorele logica van hun wereld met dezelfde vanzelfsprekendheid als over de hire & fire-cultuur: zo zit de financiële wereld nu eenmaal in elkaar.

Waarmee nog iets op zijn plaats viel. Want in de schandalen en crashes van de afgelopen decennia is een intrigerend patroon te zien.

Vanaf midden jaren zeventig begonnen valutakoersen en de rente veel sterker te fluctueren dan voorheen. Zulke schommelingen kunnen desastreus uitpakken voor bedrijven, instellingen en pensioenfondsen, en daarop ontwikkelden banken derivaten waarmee zulke partijen zich kunnen beschermen. Dit was een goed idee, dat voorzag in een grote behoefte. Maar spoel twintig jaar vooruit en de Britse bank Barings gaat ten onder aan speculatie met geavanceerde valutaderivaten.

Tweede voorbeeld: bedrijven en overheden kunnen failliet gaan, en dan ben je het geld dat jij ze als belegger hebt uitgeleend kwijt. Dus ontwikkelde een stel quants een soort verzekering tegen faillissement: de *credit default swap*, ofwel CDS. Opnieuw een goed idee, maar *fast forward* een paar jaar en hypercomplexe varianten van CDS'en spelen een cruciale bijrol in de crash van 2008.

Ten slotte: hypotheken. Vanwege hun looptijd zouden dat perfecte beleggingen zijn voor pensioenfondsen en andere langetermijnbeleggers. Maar die gaan geen individuele hypotheken opkopen. Toen lukte het quants begin jaren negentig om hypotheken zo samen te voegen en te verpakken dat pensioenfondsen er wel in konden beleggen. Vijftien jaar later gingen Lehman en anderen ten onder aan deze producten en zeer complexe varianten ervan.

Hoe kunnen waardevolle oplossingen voor reële problemen zo verschrikkelijk ontaarden en ontploffen?

Door tal van oorzaken ongetwijfeld, maar met amoraliteit diende zich een overkoepelend principe aan: stel, jij kunt een product zo complex maken dat er veel geld mee te verdienen valt – *binnen de wet*. Wie houdt je dan tegen, binnen de bank en erbuiten?

Ooit gold in de City: *My word is my bond* – nog steeds het motto van de Londense aandelenbeurs. Vrij vertaald: Ik sta voor wat ik je verkoop. Deze tijd is voorbij, en het grove taalgebruik lijkt een uitdrukking van deze nieuwe orde. Door ze 'muppets' te noemen schep je afstand tot je klanten, met al die 'fucks' bewijs je aan collega's en jezelf dat je je de amorele mentaliteit eigen hebt gemaakt.

*

Welkom in de wereld van *global finance*, dacht ik steeds vaker, en als ik dit hardop zei, kwamen er drie argumenten.

Allereerst zei echt iedereen: Besef dat amoraliteit een tweesnijdend zwaard is. Inderdaad is winst nu het enige criterium, niet hoe je die boekt. Maar het moet wel binnen de wet. Ons organisatieprincipe is immers amoreel, en niet immoreel. De wet verbiedt discriminatie en dus is dat bij ons volstrekt taboe.

My word is my bond was mooi, gingen oudgedienden en mensen met historisch besef verder. De City was toen veel kleiner, net als het aantal klanten, en dus was er sociale controle. Maar door diezelfde sociale controle konden blanke heteromannen uit de christelijke middenklasse de rijen gesloten houden voor vrouwen, Joden, homo's en arbeiderskinderen.

In de interviewbundel *City Lives* uit 1996 vertellen topbankiers en financiële figuren over het leven in de City in de twintigste eeuw. Het openlijke antisemitisme, seksisme, snobisme en de homofobie bij mensen van boven de zeventig genezen je voor altijd van nostalgie naar de goeie ouwe tijd. George Nissen, geboren in 1930, vertelt bijvoorbeeld hoe uitbreidingspogingen van de firma Smith Brothers in de jaren vijftig en zestig vastliepen: 'Ze waren heel Joods en werden beschouwd als sjacheraars. Mensen zeiden dat je bij Smith Brothers veel meer moest opletten dan bij andere firma's.'

De in 1912 geboren Michael Verey was jarenlang de baas van de bank Schroders: 'Degenen die ik kende waren onbetrouwbaar. Dat is de belangrijkste herinnering die ik aan ze heb: dat ze onbetrouwbaar zijn. Je kunt niet op ze bouwen. Je ontdekte het meestal pas achteraf. Eerst besefte je dat ze onbetrouwbaar waren, daarna pas dat ze homoseksueel waren.'

Dat was de City tot een generatie terug. Een Surinaamse Nederlander zei: 'In Nederland blijf ik een allochtoon, terwijl in de City niemand mijn huidskleur zelfs maar lijkt te zien.' Hetzelfde hoorde ik van een Duitse Turk en een Algerijn van Franse afkomst, en een jonge Britse moslima die net was begonnen bij een grote bank, noemde de City 'bijna belachelijk tolerant. Mensen zijn overdreven aardig over mijn hoofddoek en vragen beleefd of ik mannen een hand geef. Dat is echt heel prettig, een behoorlijk verschil ook met mijn ervaring in andere Europese landen.'

Misschien trof ik de verkeerde mensen, maar ook andere 'minderheden' gaven aan dat bij de grote banken openlijke discriminatie voorbij is. Het glazen plafond is ook in de City intact, maar twee vrouwen bij brokers zeiden los van elkaar dat ze juist graag met bankiers werkten: 'Die zijn zo bang voor een rechtszaak dat ze nog liever hun tong afbijten dan iets seksistisch te zeggen.'

Een vrouw in het back-office beschreef haar bank als 'ongelofelijk politiek correct over moederschap en seksuele intimidatie. Te veel, bijna. Er wordt altijd wel ergens een netwerk of workshop gepromoot voor aanstaande moeders. Dan is het Diversiteitweek, dan Weet-ik-Veel-Wat-week...'

Amoraliteit staat voor gelijke kansen, zeiden mensen, en ten tweede moet je begrijpen dat het geen vrije keuze is, maar wordt afgedwongen door aandeelhouders die rendement eisen, puur amoreel. De term is *shareholder value* ofwel 'aandeelhouderswaarde' – een soort doctrine die stelt dat beursgenoteerde bedrijven op slechts één criterium moeten worden beoordeeld, namelijk de winst voor hun eigenaren: de aandeelhouders.

De rock-'n-rollhandelaar kon in een paar zinnen deze houdgreep schetsen: 'Jij hebt als een pensioenfonds aandelen in Morgan Stanley gekocht. Dan zie je dat Goldman Sachs 50 procent meer winst heeft gehaald. Nu lijk jij een slechte belegger. Dus ga je naar Morgan Stanley: "Je hebt nog achttien maanden om je winst te verhogen, anders verkoopt mijn pensioenfonds zijn aandelen in jouw bank."'

Deze logica werkt vervolgens door op alle niveaus. Onder de CEO zitten de *global heads* die verantwoordelijk zijn voor een bepaalde activiteit en/of regio. 'Global heads weten dat ze in de komende achttien maanden x miljard moeten verdienen of ze vliegen eruit,' ging de rock-'n-rollhandelaar verder. 'Ze kunnen niet zeggen: De komende vijf jaar wordt moeilijk. De markt eist resultaten, van banken net zozeer als van andere bedrijven.'

'Je moet gewoon ieder jaar meer geld binnenbrengen,' zegt ook oud-zakenbankier Rainer Voss in de beroemde documentaire *Master of the Universe*. 'De leiding kan het niet schelen of er dingen zijn veranderd, of een bepaalde markt minder lucratief is, tijdelijk of structureel. 10 procent meer omzet, jaar in jaar uit – *I don't care how you do it*, maakt niet uit hoe.'

Zo werkt shareholder value, en alle beursgenoteerde bedrijven in de wereld zijn hieraan onderworpen. Dit was de derde kanttekening van geïnterviewden bij amoraliteit, en inderdaad schreven lezers die werkten in andere bedrijfstakken: 'Bij ons zie je precies zulke gedragspatronen als bij jouw bankiers. Inclusief taalgebruik.'

Een man van begin dertig die was overgestapt van een levensmiddelenmultinational naar de armoedebestrijders van Oxfam, beschreef een organisatie waar pompjes zo werden ontworpen dat ze te veel zeep gaven. Dan verkoop je meer zeep.

Een andere lezer werkte lang bij een mondiale softwaregigant en vertelde dat de hele *sales force* eens naar Las Vegas was gehaald. De beste 'performers' werden gehuldigd op het podium, er werd tien minuten een oorlogsfilm vertoond en toen stormde iemand het podium op: 'We gaan concurrent X het vel van de kop trekken!' En de sales force riep, vuisten in de lucht: 'Yeah!' Waarop de man schreeuwde: 'We gaan concurrent Y snoeihard naaien!' En de zaal brulde: 'Yeah!'

*

Welkom in de echte wereld, zeiden zakenbankiers soms plagend als ze me zagen worstelen met het besef dat in de City alle relaties zijn teruggebracht tot transacties: tussen aandeelhouder en bank, tussen bank en bankier, tussen bankier en klant.

Maar met dit besef was de cirkel wel rond: waarom zouden bankiers hun klanten beter behandelen dan ze zelf worden behandeld, door hun bank en door hun eigenaar?

De medewerker Personeelszaken had vaak meegemaakt dat in het hoofdkwartier van de ene op de andere dag werd besloten dat er personeel weg moest. 'Dan ga ik met de managers door de lijsten. Vrouwen op zwangerschapsverlof gaan meestal eerst. Dan mensen met ziekteverlof.' Want lagere kosten betekent meer winst, en dus meer shareholder value.

In zo'n omgeving is het ieder voor zich, zeiden mensen. 'Ik kan je bizarre verhalen vertellen over collega's die van het toilet werden gesleept, uit het ziekenhuis, van vakantie...' zei de voormalige PR & Communicatie-medewerker. 'Kreeg een collega een telefoontje van haar baas in New York, om twee uur 's nachts: Stuur me onmiddellijk document x! Zij zegt: Dat heb ik je allang gestuurd. Antwoord: O, nou ja, stuur het dan maar opnieuw!'

Je zag het wanneer iemand promotie maakte, ging ze verder. 'Allemaal zeggen ze dat ze "mens" willen blijven. Maar degenen wie dat lukt, hebben weinig succes in hun nieuwe baan. Anderen veranderden, soms van de ene dag op de andere. Liepen ze op maandag opeens te schreeuwen. Toen ik stopte, kreeg ik te horen: "Nu ga je terug naar de normale wereld, met normale mensen." '

Zakenbanken branden je af, concludeerde ze nuchter. 'Als je het tempo niet aankunt, ben je weg. Als je de cultuur niet aankunt, ben je weg. Sommigen begrijpen dit niet en zitten na afloop vol rancune. Anderen halen hun schouders op en gaan iets anders doen; ze openen een restaurant of bed & breakfast, of gaan de wereld rondzeilen – *whatever*.'

*

Zouden mensen het anders willen? Sommige geïnterviewden zeiden dat ze genoegen zouden nemen met minder 'compensatie' als ze beter, of minder slecht, door hun bank werden behandeld. Maar zeker in het front-office zei vrijwel iedereen: Zo werkt het gewoon, en als het te heet voor je is, ga dan de keuken uit.

Men had de amorele logica van het systeem geïnternaliseerd, zoals psychologen dat noemen, en hoever dit ging bleek toen Greg Smith een halfjaar na zijn geruchtmakende artikel het beloofde boek over Goldman Sachs publiceerde.

Met het soort derivaten dat zijn bank verkocht, konden klanten enorm veel winst maken, legde Smith uit. Of enorm veel verlies. 'Alleen, als klanten bang zijn, ga jij geen doemscenario's schetsen. Die zijn begraven in de kleine lettertjes van de tien pagina's lange bijsluiter achter aan het contract. De meeste klanten besteden daar net zoveel aandacht aan als jij wanneer je de ACCEPT-knop aanklikt bij iTunes.'

Stel, schreef Smith, je koopt een blikje tonijn, maakt dit thuis open en ontdekt dat er hondenvoer in zit. Hé, denk je, er staat toch TONIJN op de verpakking? Dan lees je de kleine lettertjes: KAN OOK HONDENVOER BEVATTEN.

Italiaanse en Griekse regeringen, het Libische investeringsfonds, de Amerikaanse staat Alabama en allerlei stichtingen – volgens Smith draaiden ze de afgelopen jaren hun bij Goldman Sachs gekochte blikje tonijn open en troffen hondenvoer aan. Smith onthulde dat zijn bank een interne ranglijst bijhield van klanten aan wie het meest was verdiend: 'Het had iets bijzonder verontrustends om in die top-25 een wereldwijd bekend goed doel te zien, of een pensioenfonds van leraren.'

'Het werd me allemaal te veel,' concludeerde Smith in het laatste hoofdstuk van *Why I Left Goldman Sachs*. 'Jaren geleden hadden we Griekenland geadviseerd hoe het land met derivaten de eigen schuldenlast kon verbergen. Nu waren de rapen gaar en adviseerden we hedgefunds hoe ze munt konden slaan uit de chaos in Griekenland. Aan de andere kant van de Chinese Muur probeerden intussen onze zakenbankiers contracten binnen te halen bij Europese overheden om hun te adviseren hoe de rotzooi kon worden opgeruimd.'

Daarom was Smith niet alleen gestopt met zijn werk, maar had hij gekozen voor de rol van klokkenluider.

Wow, was mijn eerste gedachte toen ik het boek dichtsloeg. Hier noemt iemand man en paard. Maar de sector reageerde opgelucht, en zelfs verveeld. Smith had enkel praktijken beschreven die legaal zijn en vallen onder caveat emptor.

Ook de meerderheid van de gespecialiseerde financiële pers koos deze invalshoek, en zo werd niet Goldman Sachs in het defensief gedrukt, maar Greg Smith. Hij had onthullingen beloofd, en nu dit! De belangrijkste financieel journalist van *The New York Times*, Andrew Ross Sorkin, verklaarde dat Smith nooit ruimte had mogen krijgen op de opiniepagina van zijn krant. Het boek was 'saai' en '*not particularly revealing*' – niet bepaald onthullend.

Nogmaals welkom in de wereld van global finance.

7
De Bank als Eilandenrijk in de Mist

'Eikels heb je in iedere beroepsgroep. Ik weet vrij zeker dat de journalistiek niet immuun is. Maar alle bankiers worden over één kam geschoren. Het is een heksenjacht. Neem de reacties op jouw blog. Vervang "bankier" door "Jood" en je ziet wat ik bedoel. De overweldigende meerderheid in de sector bestaat uit fatsoenlijke en eerbare mensen die fatsoenlijke en eerbare dingen doen. De klootzakken, oplichters en malloten worden er snel uit gegooid, en dat is de belangrijkste reden waarom ik mij niet herken in het beeld dat veel van jouw geïnterviewden schetsen. Misschien horen zij bij degenen die eruit gegooid zijn?'

Een variant op deze kritiek verscheen onder vrijwel ieder kritisch interview, telkens van de hand van iemand die zich als insider presenteerde, en vaak vergezeld van de suggestie dat de blog een goedkope poging van *The Guardian* was om te scoren bij luie linkse lezers. Ook ik vroeg me natuurlijk af hoe representatief en betrouwbaar personen zijn die zich met gevaar voor eigen baan opgeven voor een interview – *selection bias* noemen sociale wetenschappers dat.

Of mensen waren voor wie ze zich uitgaven, viel goed te checken via sociale media zoals LinkedIn. Hun verhalen zelf natrekken was andere koek, want je komt de banken niet binnen.

Dat was frustrerend, maar wat ik wel kon verifiëren was het bestaan van caveat emptor, de nul-ontslagbescherming, het vangnet van 'too big to fail', de implicaties van een beursnotering en de druk die uitgaat van shareholder value.

Zelfs wanneer alle geïnterviewden fantasten zouden zijn, zijn deze belangenconflicten en perverse prikkels er nog steeds.

Ik was nu op de helft en meer en meer gingen de interviews lijken op verhoren voor een organisatiedetective, niet zozeer een *whodunnit* als wel een *whydunnit*. Hoe word je binnen een bank de verkeerde kant uit geduwd?

Maar zoals iedereen weet die te veel politieromans leest, kijkt een speurder verder dan motieven. Een dader moet het niet alleen willen, maar ook kúnnen. Welke *mogelijkheden* tot misbruik – legaal en illegaal – bieden de zaken- en megabanken in hun huidige vorm?

Zo'n *howdunnit*-vraag is onmogelijk breed, maar je kon hem anders formuleren: stel dat banken sinds de crash inderdaad serieus werken aan de beloofde cultuuromslag... Is het voor de top überhaupt mogelijk hun organisatie te overzien, en zo nieuwe explosieve verrassingen uit te sluiten?

Flink wat mensen hadden dagelijks met deze vraag te maken, en vrijwel meteen kwam het gesprek dan op complexiteit, en op de quants die de financiële wereld de afgelopen decennia bijna onherkenbaar hebben veranderd.

Deze wis-, schei- en natuurkundeknobbels zitten inmiddels overal. In het middle-office maken of beheren ze de modellen waarmee banken berekenen welke risico's ze lopen en hoe die het best te neutraliseren zijn. De bedenkers van de producten die bij de crash centraal stonden waren quants, en steeds meer handelaren hebben een bèta-achtergrond – de rock-'n-rollhandelaar bijvoorbeeld. Er is zelfs inmiddels zoiets als 's werelds beroemdste 'financieel quant'. Zijn naam is Emanuel Derman en hij schreef over zijn jaren bij Goldman Sachs in *My Life as a Quant*: 'In de theoretische natuurkunde speel je tegen God. In de financiële wereld tegen Diens schepsels.'

De toegenomen complexiteit van de financiële wereld is een hele kluif, maar gelukkig gaven zich vanaf het begin ook quants op voor interviews. Ik geef er als aanloop vier het woord.

De eerste ontmoette ik in het Royal Exchange Grand Café bij metrostation Bank. Hij was midden dertig en droeg een spijkerbroek en T-shirt. Als programmeur voor *high frequency trading* ofwel flitshandel bij een hedgefund zag hij toch nooit klanten.

Vergelijk schommelingen in beurskoersen met golven, legde hij bij een cola uit. 'Ons bedrijf is als een surfer die zo'n golf zoekt, er even op meevaart en weg is voor de golf breekt.' Dag in dag uit kocht en verkocht zijn computer eigenhandig hetzelfde aandeel, tienduizenden keren, vaak met milliseconden tussen aan- en verkoop.

Zijn hele leven hield hij al van de precisie en schoonheid van wiskunde, zei hij bij een nieuwe cola. 'Een antwoord is goed of fout. Wel ironisch dat ik net in dat ene gebied ben beland dat draait om correlaties en waarschijnlijkheden.'

Hij was gewoon een enorme geluksvogel, lachte hij: 'Wat had ik honderd jaar terug met mijn talent gekund? Wat kun je er over honderd jaar mee? Dit is precies het juiste moment om goed te zijn in wiskunde. En ik ben heel goed in wiskunde.'

Flitshandel is niet iets dat mensen ooit deden en nu door computers beter wordt gedaan, had de programmeur uitgelegd; het is iets geheel nieuws. En dat gold voor meer gebieden.

Mijn tweede quant was achter in de veertig, een onopvallend geklede man met een verbrijzelend sterke handdruk. We troffen elkaar in Canary Wharf voor de lunch, in zijn geval cola en pasta. Hij had lang voor megabanken gewerkt en zat nu bij een softwarebedrijf. Toen ik hem vroeg hoe ik hem moest beschrijven, zei hij simpelweg: 'Quant.'

In welke zin ben jij nu anders dan ik, vroeg ik, en hij begon te stralen. 'Als ik door het raam drie boten over de rivier zie varen, begin ik direct te berekenen hoe ze een botsing zullen vermijden, welke als eerste de ander passeert, waar en wanneer. In de auto drijf ik mijn partner tot wanhoop met manoeuvres die zij doodeng vindt – want zij heeft niet de snelheid en rijrichting van andere auto's berekend.'

Op dit moment schreef hij een computerprogramma dat fraude met creditcards opspoorde. 'Als jij iets koopt, ontstaan data: aan wie je betaalde; wanneer en waar; chip, pin of *swipe* en of je de pincode in één keer goed had... Ik heb 30 miljoen zulke data en daarmee bouw ik een zelflerend algoritme. Stel, jij koopt met je creditcard vrijdag om één uur in Londen een bos bloemen. Doe je dat de week erop weer, dan leert het programma dat dit normaal is. Pin je twee minuten later 3000 euro in Mozambique, dan slaat het programma alarm.'

Hij had jaren op de handelsvloer van de zakendivisie van een megabank gewerkt, maar was 'gewoon niet genoeg klootzak' om het daar te maken. Duizend vice-presidents die azen op tien managing director-plekken. 'Mensen gaan alles doen: je zwartmaken, messen in je rug... het hele arsenaal. Voor iemand als ik is dat heel zwaar. En netwerken is gewoon de hel.'

Na zijn promotie theoretische natuurkunde had hij eerst bij de superdeeltjesgeleider van CERN in Genève gewerkt. 'Veel collega's van toen zitten daar nog steeds. Ze werken net zo hard als ik, voor een fractie van mijn salaris. Hun werk is wetenschappelijk echt interessant. Ik zeg wel eens, half als grap, dat ik mijn ziel heb verkocht. Ik verdien iets meer dan twee ton, inclusief bonus.'

En verder? 'Een paar jaar terug heb ik een psychiater opgezocht. Ik slik pillen en besef dat ik mijn eerste huwelijk heb geofferd op het altaar van werk. Het leven valt me zo zwaar omdat ik milde asperger heb – wat pas is ontdekt toen ik volwassen was. Ik kan mezelf soms slecht "uitzetten". Het is verleidelijk me terug te trekken in een wereld waarin alles in mathematische taal kan worden beschreven en begrepen.'

Zijn pasta was op, want hij at even snel als hij sprak, en voor het eerst viel er een stilte. Hij zuchtte en zei half spottend: 'Ik weet vrij zeker dat ik ga eindigen als zo'n oude vrijgezel: mooi groot huis op het platteland, een heleboel honden en materieel alles wat zijn hartje begeert. Maar ook eenzaam en *mad as a fish*.'

De tweedeling tussen quants met en zonder asperger kwam in veel interviews terug; degenen met asperger gingen eerder vroeg dan laat ten onder in de jungle van hun bank, en een typisch voorbeeld daarvan was de derde quant. Op een koude Engelse ochtend in een Starbucks naast metrostation Bank stapte hij op me af en zei: 'Hebben wij afgesproken? Luister, ik praat nogal snel en heb een milde vorm van asperger, waardoor ik gezichtsuitdrukkingen slecht oppik. Als je iets niet snapt moet je dat zeggen, begrijp je? Anders ontgaat het me.'

Even was ik uit het veld geslagen en in eerste instantie knikte ik wat voor me uit. 'Ik heb je begrepen, dank je wel.'

Hij was eind twintig, de zoon van arme Aziatische immigranten, en droeg een pak. Zijn enige, zei hij met een moeilijk te plaatsen lachje. Na een paar jaar bij een zakenbank maakte hij nu bij een kleinere firma als researchanalist scenario's, bijvoorbeeld over de kans op een omwenteling in een olieproducerend land in de komende twaalf maanden en de effecten daarvan op de olieprijs en op de aandelenkoersen van luchtvaartmaatschappijen. Hij werkte ieder uur dat hij wakker was. 'Mijn vrouw wordt er gek van. Toch houdt ze van me.'

Bij zijn bank had hij een half miljoen pond per jaar verdiend, en toch was hij vertrokken. Banken verdienen hun geld met optimisme, legde hij uit. Hij was ervan overtuigd dat er na de crash van 2008 niets is opgelost en de problemen enkel met almaar meer schulden aan het oog worden onttrokken. 'Je kunt een kater wegdrinken met nieuwe alcohol. Maar zo verwoest je wel je lever. Zoiets is nu gaande.' Hij was dus pessimistisch, en dat was een probleem, want bange klanten brengen hun geld in veiligheid, bijvoorbeeld door het om te zetten in cash. 'Probeer jij maar eens commissie te rekenen voor het beheren van cash,' schamperde hij. 'Als bank. Of probeer iemand een riskant product te verkopen, nadat je een pessimistisch verhaal hebt gehouden.'

Hij had, met andere woorden, geen heimwee. '75 procent van de promoties bij zakenbanken maak je door netwerken. Ik ben daar vreselijk slecht in. Ik kan prima toespraken houden, maar me mengen in een groep... Smalltalk is gewoon moeilijk, hoeveel ik ook oefen. Wat verder meespeelt: ik drink geen alcohol.'

Iedere quant die asperger had, zei hetzelfde: Mensen zoals wij redden het niet in zakenbanken. Maar zonder asperger ligt de financiële wereld nu voor je open, en de beste illustratie daarvan is de 'superquant'. Als senior managing director bij een topbank had hij miljoenen verdiend; bij het hedgefund waar hij nu zat lag zijn inkomen nog hoger.

Tien jaar geleden was er echt gebrek aan respect voor quants, blikte hij grinnikend terug. 'Nu zijn we erg in trek. De financiële wereld gaat tegenwoordig over technologie en data. Dus technologie-experts en mensen die wiskunde en data begrijpen worden goed betaald. Héél goed betaald.'

Voordat hij begin jaren negentig door zijn bank was aangezocht, had ook hij op de universiteit gewerkt als natuurkundige. Zijn beeld van banken was gevormd door *Liar's Poker* en *Barbarians at the Gate*. 'In die boeken zijn handelaren lawaaiige en grofgebekte macho klootzakken. Mannen in rode bretels die *"Buy buy, sell, sell"* in hun telefoon schreeuwen en vreetwedstrijden houden.' Buitenstaanders, zei hij, lijken nog steeds te denken dat dit soort figuren de grote trades doet en de grote risico's neemt. 'Dat is allang voorbij. Op de handelsvloer van nu heb je geen ballen nodig, maar een brein. Een aantal van de beste handelaren is vrouw. Je moet bescheiden zijn, cerebraal en hoogbegaafd. Het is niet zo dat de wiskunde die ze gebruiken verschrikkelijk moeilijk is, maar je moet wel wat kunnen op dat gebied.'

Dit is de *revenge of the nerds*, zeiden quants wel eens, want de intelligentie die ons als kind juist isoleerde, brengt ons nu succes en aanzien.

Dit soort quants klonk oprecht opgelucht dat ze hun plekje hadden gevonden, terwijl de oude garde soms worstelde met de nieuwkomers. Traditiegetrouw trakteren brokers handelaren bij banken op extravagante avondjes uit, zodat die handelaren hun later business gunnen. 'Moet ik opeens met een 24-jarige wiskundenerd op stap,' zei een broker hoofdschuddend. 'Ik neem hem mee naar de *hottest clubs*, bestel de beste champagne... Zo'n jongen heeft nooit gefeest op de universiteit, heeft nauwelijks ervaring met alcohol, *still figuring out the girl thing...*'

Als niet-quant kon ik daar wel om lachen. Maar intussen vertelden mensen die werkten bij interne controles dat de toegenomen complexiteit hun bank op maar liefst drie manieren zeer kwetsbaar maakte – of zelfs onbeheersbaar.

Allereerst zijn er de misverstanden. De superquant had veel met hogere managers te maken gehad die de wiskunde niet konden volgen: 'Geen bankier die goed is in zijn vak zegt ooit: "Dit is waar" of: "Dit is zeker." Je spreekt in waarschijnlijkheden. Of dat zou je moeten doen. Het probleem is: veel niet-quants denken zo niet. Stel, ik vertel jou dat er een kans is van één op honderd dat we morgen op z'n minst 5 miljoen pond verliezen. Now what did I just tell you? Ik zei dat we eens in de honderd dagen minstens 5 miljoen gaan verliezen. Mensen zonder statistiekachtergrond horen iets anders. Zij denken dat we niet meer dan 5 miljoen kunnen verliezen. Evenmin hebben ze door dat ik niets heb gezegd over verliezen met een kans van één op duizend, of één op een miljoen.'

Een professor financiële economie aan een topuniversiteit in

Londen was zelf wiskundig hoogbegaafd, en veel van zijn studenten werkten inmiddels bij banken. Stel dat een groep quants een financieel product ontwikkelt op basis van een model dat die groep heeft gebouwd, zei hij. 'Wat nu als hun bazen zelf geen quants zijn? Dan kunnen ze niet de juiste vragen stellen – over de aannames van het model, over de kwetsbaarheid voor onbekende en onkenbare factoren, over de data die zijn gebruikt bij het modelleren...'

Besef dat quants met asperger de sociale vaardigheden missen om dingen uit te leggen, ging hij verder. 'Wat hun bazen dan horen is: "Als we dit geweldige product tien jaar eerder hadden gehad, zouden we nu heel veel geld hebben verdiend."'

Misverstanden zijn eng, maar nog enger zijn misrekeningen – wanneer de quants zelf het niet meer snappen. Neem de flitshandel waar de eerste quant over vertelde. 'Alleen bij paniek besef je hoe ongrijpbaar die programma's zijn,' zei een compliance officer die werkte op een handelsvloer. 'Als laatste redmiddel trekken mensen de stekker eruit. Ik heb dat zien gebeuren: een technologisch zeer geavanceerde omgeving en dan zo'n bizar primitieve handeling.'

Een aantal mensen in het back- en middle-office bevestigde dat de computers soms letterlijk losgekoppeld worden: bij een tsunami, een ongewoon grote terroristische aanslag, een plotseling dreigend faillissement van Griekenland.

Maar wat als de stekker er niet op tijd uit gaat, zoals op 6 mei 2010, toen in Amerika tijdens de 'flitskrach' de beurs van het ene op het andere moment een paar minuten ongekend hard naar beneden ging? Vrijwel meteen daarna was het verlies hersteld, terwijl de financiële wereld verbijsterd toekeek.

Hoe machteloos complexiteit kan maken, liet het relaas zien van een hoofd *Structured Credit* bij een grote bank. Hij is een van de aardigste mensen die ik in twee jaar ontmoette, midden dertig, goedlachs en ietwat rusteloos. We troffen elkaar op een grijze dag in januari, en eigenlijk had hij zin in een glas cider, zei hij, maar hij nam bij zijn *pork pie* toch alcoholvrij gemberbier – een moderne working class-lunch.

Dat waren bange tijden, blikte hij terug op de dagen, weken en maanden na de val van Lehman Brothers. 'Je denkt: We zitten in een nieuw paradigma. Niets gaat nog zoals het hoort. Onze afdeling stond op honderden miljoenen verlies, de bank op miljarden. Het begon ons te dagen: dit kan ons tot zinken brengen. Was de markt verder weggezakt, dan waren we ten onder gegaan.'

Hij beheerde een computerprogramma dat op de beurs zelfstandig producten kocht en verkocht om risico's te neutraliseren die de bank op andere producten liep. De *Financial Times* had zijn soort *F9 monkeys* genoemd, zei hij grinnikend, naar de toets waarmee je de computer laat vertellen wat het portfolio van aangekochte producten waard is. 'Aap' verwees naar het vermoeden dat niet iedereen begreep wat die computers deden.

Dit vermoeden werd bewaarheid tijdens de crash. Het computerprogramma draaide op aannames die in de herfst van 2008 opeens niet meer golden. In de voorafgaande jaren konden ze binnen een marge van een paar duizend de winst of het verlies van die dag schatten. 'Een druk op F9 en we kregen de bevestiging. Toen brak de crisis uit en kregen we een totaal onverwacht getal. We vroegen ons af: Hoe kunnen we zoveel geld hebben verloren? Wat is er gebeurd?'

Voorheen stuurden ze een dagelijks rapportje over hun winst of verlies, en verder niets. Nu werd dat rapport doorgeploegd door tien risk managers in Londen en dan nog eens door twintig in het moederland van zijn bank.

'Je wilt echt niet op een fout worden betrapt door een risk manager in het hoofdkwartier. Die stapt direct naar de top. Dat de meesten ons product niet begrepen gaf nog meer stress. Zelfs risk & compliance, dat ons interne tegenwicht hoort te zijn... Wij moesten hun uitleggen hoe ze ons moesten monitoren.'

Mensen aan de top weten net genoeg voor de baan die ze hebben, had hij ontdekt, en in een crisis is dat 'net genoeg' niet genoeg. Uren zat hij aan de telefoon met steeds hogere figuren. 'Ik
realiseerde me: ze begrijpen het niet. Niet fundamenteel. Als ik een
fout maak, pikken zij die er niet uit. Ze kunnen ons niet corrigeren
als we het verneuken, laat staan onderbouwde beslissingen nemen.
Het kwam op ons aan, en ik verdeed mijn kostbare tijd met telefoontjes met figuren bovenin. En hun hulpjes. Dan ging ik uit
mijn dak als die met een vraag kwamen die ze zelf niet begrepen.
"Jullie voegen niets toe," zei ik op zo'n moment. "Als je me vertelt
dat je de vraag niet begrijpt, gaan we rustig zitten en leg ik het uit.
Hoe kan mijn antwoord van waarde zijn als je niet snapt wat ik je
aan het vertellen ben?"'

Die dagen hadden hem veel geleerd over de menselijke natuur.
'De *arse covering*... Op een gegeven moment hadden we een oplossing. We moesten nog één verlies nemen, dan was de boel onder controle. Ons plan werd afgeschoten. De bank wilde niet nog
meer verliezen bekendmaken. Liever liet men het dooretteren, ook
al werd zo het verlies aanzienlijk groter.'

Vanaf dat moment ging zijn team e-mails sturen, puur om zich
in te dekken: 'Zoals besproken op vergadering x is dit ons voorstel.
Wij raden met klem aan...'

Wat was er destijds wél leuk? 'De *team spirit*,' zei hij zonder aarzeling. Ze waren een klein clubje onder leiding van de quant die
het computerprogramma had geschreven. 'Als een elite-eenheid
van de politie, ieder uit een ander land. Dat is de City. En intel-
lectueel was het extreem uitdagend.'

400 000 pond verdiende hij in zijn laatste jaar, inclusief bonus.
Niet slecht voor iemand die op zijn achttiende in het back-office
is begonnen, zei hij bescheiden. 'Als enige van mijn middelbare
school ging ik niet studeren. Dat was gewoon niks voor mij. Ik ben
hierin gerold. Niet om het geld. Op school boden mijn ouders geld
als ik beter mijn best deed. Dat heb ik nooit gedaan.'

Zijn lach klonk oprecht ongemakkelijk. 'Elke bonusronde zeiden ze: We geven je iets meer dan beloofd. Beschouw het als een gebaar. En voor het komende jaar is jouw gegarandeerde bonus x. Nooit heb ik om meer gevraagd... Hoe kon ik? Ze betaalden me al zoveel.'

Het was echt raar, zei hij, nog even ongemakkelijk. 'Onze divisie verloor zwaar, maar ik was een van de weinigen met diepe kennis. Alsof ik als enige een bom onschadelijk kon maken.'

Een klein jaar was hij nu weg bij de bank. Het nachtzweet was verdwenen, maar hij had nog steeds een huidaandoening. 'Van de stress. Mijn opa was een toegewijde melkboer, mijn vader is een toegewijde politieagent. Ik ben net zo, maar dan in een bedrijfstak die met geld smijt.'

En dan is er de kans op misbruik. Of de crash van 2008 uiteindelijk te wijten is aan moedwil dan wel aan misverstand – slechtheid of domheid –, is nog altijd een onderwerp van verhitte discussie.

Anders ligt dat met het schandaal rond Bruno Iksil ofwel 'de Whale van Londen'. In het voorjaar van 2012 wist deze handelaar bij JPMorgan met een handjevol collega's 6,2 miljard dollar verlies te maken – zijn bijnaam verwijst naar de omvang van Iksils posities.

Iksil werkte in de City, maar omdat JPMorgan een Amerikaanse bank is, zocht het Permanent Subcommittee on Investigations van de Senaat het monsterverlies zo goed als het kon uit. Iksil kon niet worden ontboden naar de Verenigde Staten, maar mensen bij interne controles van JPMorgan wel.

Toen zij doorkregen welke risico's Iksil liep, hadden ze uitleg geëist: hoe ging hij dit oplossen? Zijn antwoord: 'Sell the forward spread and buy protection on the tightening move, use indices and add to existing position, go long risk on some belly tranches especially where defaults may realize, buy protection on HY and Xover in rallies and turn the position over to monetize volatility.'

Kunt u vertellen wat dit betekent, had de Senaatscommissie tijdens de verhoren gevraagd. Niemand bij interne controles kon dat, terwijl JPMorgan nota bene geldt als de megabank met het beste risicobeheer ter wereld. Overigens verdiende Iksil het jaar vóór zijn Walvis-verlies 7 miljoen dollar. Aangezien hij geen wetten heeft overtreden, is hij nooit vervolgd.

Hoe minder mensen het nog snappen, hoe meer ruimte voor misrekeningen, moedwil en misverstand. En om het nog erger te maken: zulke ongelukken kunnen in de huidige financiële wereld onwaarschijnlijk kostbaar uitpakken – zie de lotgevallen van de 'F9 aap' of de Walvis van Londen.

De reden is dat complexe financiële producten niet altijd een schadeplafond hebben. Wie een lening verstrekt of aandelen koopt kent van tevoren het maximale verlies, namelijk het ingelegde bedrag. Sommige complexe producten daarentegen zijn een soort openeindverzekeringen. Je spreekt met een luchtvaartmaatschappij af dat voor iedere dollar die de olieprijs op 1 januari boven een bepaald niveau staat, jij een afgesproken bedrag uitkeert. Staat de olieprijs op oudejaarsdag lager, dan strijk jij je premie op – als een reisverzekeraar die na een probleemloze vakantie niet hoeft uit te keren. Maar nu is de olieprijs gestegen. Jij moet betalen. Het punt is dat de olieprijs heel lang kan doorklimmen, en daarmee jouw verlies.

Bankiers hebben gelijk dat vrijwel alle multinationals beursgenoteerd zijn en daarmee onderworpen aan het amorele regime van shareholder value. Maar bij Shell of McDonald's kan een handvol medewerkers ergens op een afdeling niet snel een miljardenverlies maken. Bij zakenbanken wel, zoals oud-bankier Rainer Voss in de eerdergenoemde documentaire *Master of the Universe* zegt: 'Ik kan geen ander beroep bedenken waarin één enkele persoon voor zijn bedrijf zoveel geld kan verliezen.' Denk aan een omgekeerde piramide, want: '*Die Leute die richtigen Schade anrichten können, die sitzen unten*' – juist de mensen die zulke producten bouwen of verhandelen, zitten ver weg van de top.

*

Als een klein groepje mensen miljarden kan verliezen met activiteiten die door hun complexiteit extreem moeilijk te monitoren zijn, wil je daar als interne controles bovenop zitten, toch?

Inderdaad, antwoordden mensen, behalve dat dit heel moeilijk gaat. 'Een CEO kan niet ieder algoritme en computerprogramma dat zijn bank gebruikt begrijpen, laat staan ieder product,' zei een externe accountant die net door de boeken van een grote financiële instelling was gegaan. 'Dus hebben ze mensen om zich heen die zeggen: Maak je geen zorgen, alles is onder controle.'

Dat klonk wat cynisch, maar de manier waarop een interne boekhouder haar hoogste baas in bescherming nam was nog vernietigender.

Dit was de jonge vrouw die maar geen baan vond buiten de financiële wereld. Ze werkte bij een megabank in *group financial reporting*, de dienst die alle cijfers verzamelt voor onder meer de jaarrekening. Ze bezat het soort nuchterheid en het kalme zelfvertrouwen die je vaker treft bij boekhouders. Een paar keer vroeg ze bezorgd of het wel interessant genoeg was – een vraag die een front-officebankier niet snel zou stellen. Ze had zich geen zorgen hoeven te maken.

Voor beide megabanken waar ze gewerkt had gold dezelfde vraag, vond ze: 'Kun je de CEO een schandaal bij zijn bank verwijten? Gegeven de omvang van banken is hij hooguit schuldig aan delegeren aan de verkeerde persoon. Hoe kun je persoonlijk honderdduizend werknemers overzien?'

Haar bank verwerkte 24 uur per dag, in de hele wereld, miljoenen transacties, had gigantische portfolio's met leningen en was actief op gebieden van zeer uiteenlopende aard en complexiteit. De vraag is niet hoeveel risico je loopt, zei ze; de vraag is of je überhaupt nog weet wat je in bezit hebt. 'De handelaar geeft zijn cijfers aan *product control* in het middle-office, die geeft ze door aan het *finance team* van de zakenbank, die ze aan ons geeft. Dat zijn flink wat lagen.'

Een megabank als de hare had dus zowel een consumenten- als een zakendivisie. De zakenbankiers doen altijd geheimzinnig, vertelde ze, zo van: Dat hoef jij niet te weten. 'In de meeste bedrijven staat group financial reporting boven de partijen. Zakenbankiers behandelen ons bijna als *side-show*. Veel mensen in ons team voelen zich geïntimideerd. Vóór 2008 hadden we echt nauwelijks inzicht in hun cijfers.'

Nu was dit iets beter, maar feit blijft dat niemand de banken meer echt snapt, zei ze, 'ook de insiders niet. Als interne boekhouders horen wij de bank te begrijpen, en dit inzicht te illustreren met onze cijfers. In werkelijkheid is het bijna andersom. We doorlopen een proces, en als iedere stap keurig is gezet, dan geldt de uitkomst als legitiem. Wat wij doen is feitelijk legitimeren.'

*

De Britse voormalig minister van Financiën Alistair Darling merkt in zijn memoires *Back from the Brink* droogjes op dat je veel hoort over 'too big too fail'-instellingen die te groot zijn om nog failliet te mogen gaan, en ook over instellingen die te groot zijn om nog te redden: *too big to save*. Maar er is nog een categorie, schrijft de man die tijdens de crash de Britse banken moest 'redden': 'Instellingen die te groot zijn om nog te kunnen weten wat er gaande is.'

Too big to manage heet dit, en een cruciaal aspect is IT. Banken zijn niet langzaam en organisch gegroeid, zeiden mensen die over de computersystemen gaan, maar schoksgewijs door fusies en overnames van zeer uiteenlopende banken en financiële instellingen, uit allerlei landen. Intussen wordt lang niet altijd adequaat geïnvesteerd in IT-systemen – al was het maar omdat zo'n langetermijninvestering de kortetermijnwinst drukt.

Front-, middle- en back-office hebben vaak andere systemen, en de bank heeft verschillende systemen in verschillende landen. Voor nieuwe producten voegen ze een *patch* toe, en overal worden *work arounds* gebruikt: geïmproviseerde oplossingen als een product of activiteit niet kan worden verwerkt. Je hebt weer systemen om deze systemen te laten draaien. En zo verder.

'Veel lezers zouden versteld staan hoe beroerd de IT is bij veel banken,' zei een man van eind dertig die lang bij een softwarebedrijf werkte. Net als bij veel bedrijven en overheidsinstellingen, voegde hij eraan toe. Soms vang je hier een glimp van op, zei hij, als een bedrijf platgaat door een 'computerstoring'. 'Is het je opgevallen dat die altijd langer duren dan verwacht? Dat is niet omdat reparatie zo lang duurt. *Root cause analysis* vergt de meeste tijd: erachter komen wat het probleem is.'

Zijn grootste angst was dat ooit een megabank niet meer bij de eigen data zou kunnen. Wat gebeurt er met bedrijven wier betalingsverkeer bij die bank loopt? Zelf bewaarde hij printjes van alle rekeningafschriften, en hij grinnikte instemmend bij mijn favoriete citaat van een andere specialist: 'De generatie die de computersystemen heeft gebouwd is met pensioen aan het gaan. Soms komen wij ergens binnen en wijzen ze naar een grijze kerel in de hoek: Dat is Peter, hij is de enige hier die het nog snapt.'

IT'ers neigen tot overdrijven, relativeerden veel anderen, maar de gammelheid en onoverzichtelijkheid van systemen werd unaniem als fundamentele kwetsbaarheid aangewezen.

'Je zou verwachten dat banken supersystemen hebben waar je met één druk op de knop alles hebt,' zei een vrouw bij compliance.

'In werkelijkheid doe ik veel "reconstructie met de hand". Ik wil bijvoorbeeld de trades weten van een klant. Die zijn verrassend moeilijk te achterhalen. Ik moet in allerlei systemen, hier wat vandaan halen, daar wat. Zo bouw ik een beeld.'

Een consultant zei zelfs onverbloemd: 'De volgende mondiale financiële paniek begint met een IT-crash.'

*

Het was een intensieve speurtocht of zaken- en megabanken in hun huidige vorm nog beheersbaar zijn. Maar opnieuw vielen dingen op hun plek. Zoals toen de Zwitserse bank UBS bekend moest maken dat hun handelaar Kweku Adoboli 2 miljard dollar had verloren. Anders dan de Londense Walvis had Adoboli allerlei regels en wetten overtreden. Hij was een rogue, en zijn schandaal paste daarmee in het rijtje van de Brit Nick Leeson, die in 1995 met zijn verliezen zijn bank Barings te gronde richtte, en de Fransman Jérôme Kerviel, die in 2008 4,9 miljard euro voor Société Générale bleek te hebben verloren.

Bij de rechtszaak zette de officier van justitie Adoboli neer als een man die enkel uit was op faam en een grotere bonus. Dat was het beeld van de financiële wereld als casino voor hebzuchtigen, maar de werkelijkheid rond *rogue trading* bleek veel interessanter.

'Wij worden gezien als saai,' grinnikte een consultant die banken hielp rogue trading op te sporen en te voorkomen. 'Terwijl ik eerder een cynische Sherlock Holmes ben.' Haar firma had oud-politieagenten in dienst voor de verhoren, IT-specialisten voor de systemen en financieel experts om de producten te doorgronden. Zij leidde zo'n team. 'Je komt binnen, lost een probleem op en vertrekt naar een volgend project. Heerlijk.'

Ze had geen behoefte rogue traders te verdedigen, zei ze, maar de handelsvloer is nu eenmaal een speelplaats vol jongetjes die elkaar opjutten. Een handelaar neemt een risico en maakt verlies. Hij wil dit niet toegeven, niet aan zichzelf, noch aan zijn maten en zijn baas. Met een nog riskantere trade probeert hij het in één klap goed te maken. Dat gaat weer mis. Bij zo'n groot verlies zouden bij interne controles de alarmbellen moeten afgaan, maar de rogue-handelaar kent deze systemen op zijn duimpje, in veel gevallen omdat hij in het back-office is begonnen. Hij weet zijn verliezen te verstoppen, en denkt: Straks verdien ik het terug, wis mijn sporen uit en alles is weer goed. Soms lukt dit, maar een enkele keer lopen de verliezen zo op dat ze niet meer te verbergen zijn.

Daarom keek ze altijd naar de cultuur van een bank. 'Als jij na een fout je hand opsteekt, krijg je dan applaus of word je afgezeken? Ik ken banken waar je een fout maar beter niet kan toegeven.'

Ook andere geïnterviewden die er rechtstreeks mee te maken hadden, zeiden: Rogue trading gaat niet over hebzucht. Het gaat over wanhoop, en is een direct gevolg van de manier waarop banken in elkaar zitten. En ze zeiden: Rogue trading gebeurt veel vaker. Alleen komt dat niet naar buiten.

Een *operational risk officer* die in het back-office de winst-en-verliesrekening van handelaren moest narekenen, vertelde over een lek dat bij zijn bank pas net was verholpen – en nog altijd niet helemaal: 'Een handelaar heeft zijn trades in een of meer "boeken" staan. Wanneer zo iemand vertrekt naar een andere bank, blijven de boeken vaak in het systeem bewaard. Duizenden boeken die niet meer worden gebruikt. Als jij de systemen heel goed kent, kun je daar trades verbergen.'

*

De diploma's van topuniversiteiten, de strakke logo's en websites, de job titles en de zelfverzekerdheid van topbankiers in de media of tegenover parlementaire commissies – banken wekken knap de indruk dat ze worden gerund als legers of luchthavens: efficiënte hiërarchieën met een constante stroom van commando's, informatie en feedback tussen top en basis.

Maar kijk achter deze façade naar de perverse prikkels, de verkokering en het klimaat van angst, de *zero loyalty* als gevolg van zero job security en de omvang, gammelheid en complexiteit, en je ziet geen strak geleide piramide met bovenin het opperbevel. Je ziet een eilandenrijk in de mist, bevolkt door huurlingen.

In zo'n omgeving vallen gaten en doen zich regelmatig enorme verleidingen voor. Wanneer personen bij banken daarvan gebruik of misbruik maken, zijn dit dan 'incidenten' door 'rotte appels'? Of zijn dit de meest zichtbare symptomen van een systeem dat gewoon niet klopt?

En toen sprak ik – eindelijk – iemand die in 2008 echt dicht op het vuur zat.

8
Tijd voor wat Goed Nieuws

Je hebt soms momenten waarop lijnen samenkomen tot een inzicht. Een heel lang gesprek met een man die rond de crash bij twee prestigieuze banken had gewerkt op handelsvloeren waar CDO's werden verkocht, was er zo een. Hij gaat de 'CDO-bankier' heten, want dat is hun technische naam: *collateralized debt obligations*.

Het was een zachtaardige man, geboren en getogen op het Europese vasteland, waar hij enige jaren bij een bank had gewerkt in vermogensbeheer voor rijke families. Rond de eeuwwisseling had een megabank hem naar Londen gehaald om aan deze welgestelden financiële producten te gaan verkopen, bijvoorbeeld CDO's en hun complexere varianten.

Op zijn verzoek spraken we af in het hotel waar zijn eerste Londense bank hem tijdens het sollicitatieproces een kleine vijftien jaar terug had ondergebracht. Nostalgisch keek hij om zich heen. Wat zou hij zeggen tegen de persoon die hij toen was? 'Eh... geniet ervan?'

Hij wees naar de luxe om ons heen. 'Voor je tekent, behandelen zakenbanken je als een ster. Daarna ben je een van de velen.' Hij wist nog goed dat hij voor het eerst op de handelsvloer kwam en honderden en nog eens honderden mensen zag zitten... Hij besefte: dit is het hart van de machine.

De buitenkant van zakenbanken is indrukwekkend, zei hij: dure pakken, uitmuntende catering, antiek aan de muur. Maar de handelsvloeren zijn fabrieken. Je krijgt een computer, telefoon, terminal met financiële data en daar moet je het mee doen. In hun gebouw zaten een tandarts, dokter, stomerij, reisbureau, sportclub en restaurants – alles om medewerkers zo productief mogelijk te maken. Ook op zijn handelsvloer ging een *food trolley* ofwel voedselkarretje rond, zodat je bij honger niet van je bureau hoefde. Er was zelfs iemand die voor een paar pond je schoenen poetste.

Hij roerde in zijn thee, vroeg waar een gorilla van 300 kilo gaat zitten, en gaf zelf het antwoord: 'Waar-ie wil. Als nieuwkomer bij een zakenbank ben jij het tegenovergestelde van die gorilla. Je moet je invechten. Niemand heeft tijd. Niemand kan het iets schelen wie je bent. Maar je hebt wel een "budget": het bedrag dat je voor de bank moet zien te verdienen.'

Hij ontdekte dat zijn bank soms twee mensen aannam voor dezelfde post – kijken welke overleefde. Hem was beloofd dat klanten in 'zijn segment' exclusief voor hem waren, maar meteen trof hij collega's die ook met hen werkten. Toen stapte de manager die hem had aangenomen over naar een andere bank, en was hij zijn kruiwagen kwijt.

Oké, had hij gedacht, dit wordt moeilijker dan voorzien. Van CDO's en andere complexe producten wist hij weinig tot niets; hij was immers aangezocht om het vertrouwen dat hij genoot bij zijn klanten. Maar hij was goed in wiskunde, ging hard studeren en kreeg na enige tijd een ingeving. Hij wist dat de investeringsportefeuille van een klant bij een bepaalde samenloop van marktomstandigheden sterk in waarde kon dalen. 'Een zogeheten hybride synthetische CDO kon dat risico afdekken, vermoedde ik. Klopte dat?'

Daarvoor moest hij langs bij een structurer, die dergelijke producten bouwt en de berekeningen erachter uitvoert. Alleen kun je niet zomaar op zulke mensen afstappen, want iedereen heeft het permanent extreem druk.

Hij liet een heel speciaal broodje bezorgen bij een structurer, ging naar hem toe en vroeg: 'Mag ik, terwijl jij dat opeet, iets vertellen over mijn idee?' De structurer vond dat wel bijdehand en luisterde. Toen vroeg de structurer voor wie de CDO was, en natuurlijk gaf hij een nietszeggend antwoord. Misschien kende een collega op de vloer zijn klant ook. Stel dat die collega deze structurer weer kende; dan konden ze samen het idee van hem stelen.

Zijn idee werkte, de klant was tevreden en opeens was hij de man van de deal van 2 miljoen euro. Hij boekte nog een aantal successen en kreeg toen een aanbod van een andere topbank. Opnieuw werd hem een exclusief segment beloofd en opnieuw bleken anderen daar al mee te werken. 'Ik ben een trage leerling,' lachte hij.

Bij die nieuwe bank was het dus opnieuw invechten, maar in ieder geval snapte hij nu hoe het werkt: je zit te midden van duizend anderen oplossingen te bedenken voor een probleem dat je klanten hebben. Dus moet je zo veel mogelijk weten over hun behoeften. De producten die jij bedenkt concurreren met andere banken. 'Intussen zingt het in je achterhoofd: Ik moet mijn "budget" halen, anders krijg ik geen bonus en word ik ontslagen.'

Zie een zakenbank als een enorme machine voor transacties en deals, zei hij, en als een verzameling franchises die worden uitgedeeld en bevochten: 'Jij krijgt dit segment, jij dat.' Iedereen, maar dan ook iedereen, is gefocust op business. *Revenue responsibility* heet dat – opbrengstverantwoordelijkheid. Zijn baas was 'hoofd West-Europa'. Ook hij had een budget: tussen de 10 en 20 miljoen pond. 'Hoeveel tijd denk je dat hij voor "management" vrijmaakte?'

We aten een duur broodje. Veel producten die op zijn handelsvloer werden verkocht hadden een looptijd van jaren – op dezelfde manier waarop een hypotheek, belabonnement of verzekering langer kan 'lopen'. Het punt is, zei hij, dat jouw aandeel in de winst die de bank over de volledige looptijd gaat maken, al in het jaar van verkoop op jouw bonus wordt geboekt. 'Als iets zeven jaar loopt en je krijgt dat ineens... Mede daarom schoten de bonussen zo omhoog.'

Het ene jaar heeft iemand een enorme bonus, analyseerde hij.

Maar het jaar daarop? 'Dan moet-ie blijven verkopen.' Ook het contact met klanten verandert als je met één deal zoveel kan verdienen. 'Niet langer hoef je jaren een relatie te onderhouden – verkoop iemand één keer wat en *beng* – je bent er.'

Sommige oud-collega's hoefden nooit meer te werken dankzij een handvol deals. 'Ze deden er een paar, en lieten zich wegkapen door een andere bank, die dacht: Als deze gast voor ons 15 miljoen pond kan verdienen, kunnen we hem best een paar miljoen betalen.'

Intussen gold ook in zijn segment: caveat emptor – klanten moesten er zelf achter komen wat ze van je kochten. Velen waren daartoe in staat, maar niet iedereen. 'Ik kan je verhalen vertellen over de Duitse *Landesbanken*...'

De meesten van zijn collega's waren fatsoenlijke mensen, herhaalde hij een paar keer. 'Sommigen zeiden over CDO's: *no way*. Maar het zijn neutrale instrumenten. Als je ze vult met giftige troep, gaat het mis. "Mijn" CDO's hebben allemaal keurig hun rendementen geleverd.'

*

Tot de CDO-bankier dacht ik dat de crash pas te begrijpen viel als je precies wist hoe de CDO's en 'hun complexere varianten' die in 2008 waren 'ontploft' in elkaar zitten. Ik had me daarom braaf op de literatuur gestort en langzaam doorgekregen dat je met CDO's het risico op wanbetaling van een verzameling leningen kunt spreiden. Een CDO 'in het kwadraat' – ofwel *squared* – is een CDO met daarin andere CDO's, terwijl je bij een 'synthetische' CDO geen van de onderliggende leningen in bezit hebt, maar afspreekt met een partij dat jij betaalt als ze meer waard worden, en de ander als ze in prijs dalen – of andersom. Een 'hybride' CDO kan dan bestaan uit zowel synthetische als gewone CDO's.

Kap het jargon weg, kook alles terug tot de kern en versimpel de boel radicaal, en de werking van CDO's en hun complexere varianten wordt begrijpelijk, in grote lijnen.

Maar toen luisterde ik naar de CDO-bankier en dacht: Is zulk begrip werkelijk relevant? Belangrijk is niet of buitenstaanders begrijpen hoe die dingen werken; de vraag is waarom vóór de crash zo weinig insiders zich hiervoor interesseerden.

Het antwoord was te vinden in het verhaal van de CDO-bankier; de gigantische handelsvloeren waarop huurlingen in een mist van complexiteit en caveat emptor moeten overleven; het diepe onderlinge wantrouwen te midden van een volstrekt amorele focus op winst en revenue responsibility; de hire & fire-cultuur waarin degene die jou heeft aangenomen al naar een andere bank is vertrokken voor je goed en wel bent begonnen...

Waarom zouden mensen op een handelsvloer zoals die van de CDO-bankier zich druk maken om de werking van complexe beleggingsproducten of de financiële gezondheid van hun bank op de lange termijn? Waarom zouden ze überhaupt over de bank denken als 'hun' bank, wetend dat ze ieder moment op de stoep kunnen staan – ontslagen, of weggelokt door de concurrent? Waarom zou je in zo'n omgeving als risk manager of compliance officer aan de bel trekken of 'nee' zeggen? Waarom zou je als bankier een klant níét naaien, als je onder zulke druk staat en weet dat je er juridisch mee wegkomt?

Dit lijkt wel een blauwdruk voor kortetermijndenken.

Het lukte niet om mensen helemaal bovenin bij de banken te interviewen, maar de meeste reconstructies doen vermoeden dat een dergelijke mentaliteit ook hogerop in sommige banken de norm was, in ieder geval tot 2008. De eerdergenoemde Alistair Darling schrijft over de topbankiers met wie hij als minister van Financiën in de bange dagen van 2008 moest onderhandelen over reddingspakketten:

Ze begrepen niet waar ze mee bezig waren. Niet welke risico's ze liepen, en vaak ook niet de producten die ze verkochten. Op het hoogtepunt van de crisis zei een topbankier vol trots tegen me dat ze zojuist hadden besloten niet langer risico's te nemen die ze niet begrepen. Ik geloof dat hij dacht dat dit me gerust zou stellen. Ik werd alleen maar banger. De top van de Britse banken en ook die in Amerika begreep niet waar al die winsten vandaan kwamen – had hier niet eens naar gevraagd –, noch welke risico's ze daarbij liepen.

Ze hadden hier niet eens naar gevraagd. Van alle redenen om zaken-banken niet langer casino's te noemen, is dit denk ik de belangrijk-ste. Bij roulette zijn de kansen bekend: iets minder dan de helft op zwart of rood, en één op 37 bij de nummers. Binnen het zakenban-kieren zijn veel zaken door de complexiteit juist ondoorzichtig. Een nieuw product kan goed uitpakken of slecht – weet jij veel als risk manager, hoofd West-Europa dan wel CEO. Maar banken die zulke producten verkopen of andere lucratieve risico's nemen, ma-ken op korte termijn enorme winst, en worden bejubeld door aan-deelhouders en de financiële media. 'Zolang de muziek aanstaat, moet je dansen,' vatte de hoogste baas van de megabank Citigroup deze dynamiek in een beroemd geworden citaat samen. 'We're still dancing,' had hij eraan toegevoegd – Wij dansen nog altijd mee. Dat was juli 2007.

*

Op dit punt aangekomen zou ik graag goed nieuws presenteren. Dat heeft een boek nodig, net na de helft. De lezer kan bijkomen en zich daarna identificeren met een 'goed' personage dat 'hoop' biedt.

Zelf snakte ik hier ook naar, terwijl ik het vizier richtte op in-stanties die de banken controleren. Waarom hadden kredietbeoordelaars die CDO's en hun complexere varianten als superveilig en triple A aangemerkt? Waarom hadden de accountants die de boeken moesten controleren niets gezien of gezegd? Waar waren de toezichthouders geweest?

De zoektocht begon in ieder geval geweldig, toen er een e-mail van William J. Harrington binnenkwam. Hij was een Amerikaan van in de veertig die meer dan tien jaar bij kredietbeoordelaar Moody's had gewerkt, en wel op de afdeling die jarenlang *triple A ratings* had gegeven aan CDO's met hypotheken erin. Harrington was vertrokken zonder afvloeiingsregeling en voerde als klokkenluider een eenmanspubliciteitsguerrilla tegen Moody's en andere kredietbeoordelaars. Vandaar dat hij zelfs graag wilde dat ik zijn naam gebruikte, zodat... een geïnterviewde eindelijk wat menselijke kleur kan krijgen!

Harrington was opgeleid als econoom en had eerst voor de zakenbank Merrill Lynch gewerkt. Daar ging het altijd om 'meer, meer, meer', grijnsde hij ondeugend. 'Het beloningssysteem bij zakenbanken is gewoon zo... zo hetero.' Dat zakenbankiers kredietbeoordelaars zien als sukkels en *also-rans* – tweede garnituur – kon hem niks schelen. 'Ik ging toch niet naar congressen of bankiersfeestjes.' Moody's haalde al jaren een 100-procentscore in de categorie 'aangename werkplek voor homoseksuelen', en dus was de keus niet moeilijk.

Hij zei dat mensen die bij Moody's op kantoor kwamen wel eens vroegen: 'Waarom is het hier zo *gay*?' Ik zei dat in de City de toezichthouder juist dat imago heeft, en Harrington knikte: 'Een plek die eenmaal zo bekendstaat trekt anderen aan.' Zijn glimlach verdween: 'Ik vermoed dat de meest zieke managers bij Moody's graag mensen aannamen die kwetsbaar waren en weinig opties hadden, als homo in de financiële wereld.'

Wie in zijn eentje campagne voert tegen een instituut als Moody's, krijgt heel wat over zich heen. Harrington maakte het hele gesprek een gespannen indruk en sprak over zijn voormalige werkgever soms bijna als over een vaderfiguur die hem diep had teleurgesteld. Zijn opmerking over 'zieke managers' die bewust homoseksuelen zouden aannemen viel onmogelijk te verifiëren, en hetzelfde gold voor Harringtons bewering dat de CDO-afdeling bij Moody's al in 2006 'volkomen giftig' was, omdat alle promoties naar mensen gingen die 'de machine draaiende hielden'. Steeds meer hadden bankiers de leiding over het ratingproces overgenomen. 'Het management bepaalde hoe wij moesten omgaan met de bankiers. Of we terug mochten schreeuwen, bijvoorbeeld. Dat mocht niet.'

Boem. Dit was zo'n even veelzeggende als onmogelijk na te trekken uitspraak. Maar over het verdienmodel van grote kredietbeoordelaars meldde Harrington feiten die iedereen weet of kan weten.

Dat kredietbeoordelaars worden betaald door de banken van wie ze de financiële instrumenten 'onafhankelijk' beoordelen. Dat Moody's noch andere kredietbeoordelaars aansprakelijk zijn gesteld voor hun triple A ratings, omdat ze met succes aanvoerden dat dit in juridische zin slechts 'opinies' waren geweest die vallen onder de vrijheid van meningsuiting. Harrington gnuifde: 'De CEO van Moody's in 2008 is... nog steeds de CEO van Moody's. In 2012 was zijn "compensatie" 6 miljoen dollar, hetzelfde als de voorgaande vijf jaar. Kredietbeoordelaars zijn zo winstgevend...'

Dit is controleerbaar waar, net als het feit dat 95 procent van de markt voor kredietbeoordelingen in handen is van drie firma's. Harrington legde uit waarom dan de vrije markt niet werkt: 'Stel dat er niet zoals nu drie vrijwel identieke kolossen waren, maar veel meer kredietbeoordelaars, van verschillende grootte, met uiteenlopende eigenaren en eigendomsstructuren. Stel dat enkelen hun werkwijze omgooien. Dan zou de rest heel moeilijk op de oude weg voort kunnen gaan.'

Ik interviewde Harrington in de namiddag bij *The Guardian*, in de cafetaria met uitzicht op Regent's Canal, waar de bankjes zo ongemakkelijk zitten. Gedurende zijn verhaal zag ik achter hem de stad langzaam donker en duister worden, en dit staat me denk ik nog zo bij, omdat ik op dat moment voor het eerst iets voelde dat leek op echte boosheid. Dit kon toch niet waar zijn? Stel dat inspecteurs van de Michelingids niet anoniem kwamen proeven, maar werden betaald door de kok zelf. Drie keer raden hoeveel sterren zo'n restaurant dan zou krijgen.

Het werd nog gekker. Een accountant van eind twintig vertelde dat je tijdens een *audit* van een bank – 'de klant', in zijn woorden – zeker geacht wordt dingen te vinden die niet kloppen. 'Hoe rechtvaardigen wij anders onze fee?' Alleen, hoe meer je aantreft, des te meer werk. 'Dat betekent hetzij hogere tarieven aan de klant, hetzij minder winst voor ons. Je kunt zeggen dat op individueel niveau externe accountants worden geprikkeld niks groots te vinden.'

Dat was één stem. Voor iedereen te verifiëren was dat ook bij accountants de markt wordt beheerst door minder dan een handvol spelers: KPMG, EY, Deloitte en PwC. Ze heten zelfs zo: de Big Four. Banken veranderden de afgelopen decennia vrijwel nooit van accountant, en nog aparter: de Grote Vier controleren niet alleen de grote banken, ze hebben ook immense consultancy-takken die duurbetaald 'advies' leveren aan... diezelfde banken. Alsof bij het restaurant van daarnet de Voedselinspectie niet alleen de hygiëne in de keuken komt checken, maar tegelijkertijd voor datzelfde restaurant als adviseur lucratief bijklust.

*

Toen meldden zich – eindelijk – twee toezichthouders. Vanaf dag één had ik geprobeerd met ze in gesprek te komen, maar ook daar gold een code of silence, en daarom hadden we bij *The Guardian* het toeval een handje geholpen.

In een interview had een handelaar gevraagd: 'Willen wij een samenleving waar een handelaar van midden twintig een miljoen verdient? Zo nee, dan heb je nieuwe regels en toezicht nodig, mondiaal. Het punt is: toezichthouders zijn idioten. Sorry dat ik het zo bot formuleer, maar waarom zou een slim, agressief en competitief ingesteld persoon toezichthouder worden?'

'Toezichthouders zijn idioten' werd de kop boven zijn interview op de blog, en *presto*, binnen 24 uur lagen er twee aanmeldingen: een junior en een senior.

De junior toezichthouder had economie gestudeerd aan een topuniversiteit, en inderdaad waren de meesten van zijn studievrienden nu bankier. Hun startsalaris: 45 000 pond plus bonus. Hijzelf begon op nog geen 30 000, plus 2500 tekenpremie. 'Ik heb een sociaal leven,' verklaarde hij zijn keuze, 'en ik doe iets nuttigs.'

Ik vroeg wat voor dier hij was, en licht geïrriteerd begon hij hardop te denken: 'We zijn niet met veel, maar wel heel groot. We vergeten nooit iets. We zijn erg sterk, soms misschien wat lomp. Geen roofdieren, maar wie ons hoort aankomen kijkt echt wel even op... Olifanten?'

Hij vertelde dat sinds de crisis de toezichthouder op alle niveaus goede mensen verloor aan de banken. 'Als topmensen vertrekken, ga je denken: Wat doe ik hier nog? Er is nu precies vraag naar mensen die kunnen wat wij kunnen: risk & compliance.' Hij vroeg zich soms af of hij ooit voor zo'n aanbod zou zwichten. 'Londen is een dure stad,' zei hij nuchter terwijl de ober de rekening bracht. 'Er liggen moeilijke keuzes in het verschiet.'

We liepen nog een stukje op en kwamen langs Abacus, een uitgaansgelegenheid die bekendstaat als een plek waar op donderdag- en vrijdagavond zakenbankiers van zijn leeftijd jonge vrouwen oppikken die wel zin hebben in een bankier. Moet je daar niet heen, zei ik, en hij lachte: 'Mijn vriendin zou m'n ballen eraf hakken.'

Later die middag stuurde hij een e-mail: 'Nog even over Abacus. Ik denk niet dat de meiden daar erg onder de indruk zullen zijn van mijn visitekaartje. Toezicht dient misschien een hoger doel, sexy is het niet!'

Tijdens de crash zat de junior toezichthouder nog op de universiteit. Maar de senior toezichthouder was erbij geweest. Nieuwsgierig toog ik naar Canary Wharf, waar we in de buurt van het gebouw van de toezichthouder hadden afgesproken. Het was een ontspannen ogende man, die rustig luisterde naar mijn vragen en de tijd nam voor een antwoord.

Het beeld van bankiers als 'graaiende *bastards*' was onzin, vond hij. 'Het probleem is de cultuur die al die materiële verwachtingen schept. Mensen komen binnen en zien dat de rotzakken met de grote bek het meeste succes hebben. Dat gaan ze nadoen.'

Hij beschreef zichzelf als 'centrumlinks' en was zijn carrière in de City begonnen bij een grote zakenbank. Hij wilde niet opscheppen, maar hij had altijd evaluaties als 'overtreft verwachtingen'. Toch geneerde hij zich steeds meer voor zijn werk. Zijn studievrienden waren leraren, dokters, politiemensen. Die hadden hem met beide benen op de grond gehouden, meende hij. Wat ook meespeelde: 'Ik geef gewoon niet zo om luxegoederen.'

Toen hij eenmaal zeker wist dat hij niet verder wilde bij zijn bank, dacht hij: Waar kan ik mijn kwaliteiten dan het best inzetten? Antwoord: de toezichthouder. Veel collega's kwamen van banken. Je hebt een mix nodig, zei hij. 'Buitenstaanders met een frisse blik die de grote vragen stellen, en voormalige insiders die door de bullshit heen kunnen kijken die banken je voeren.'

In heel Groot-Brittannië werken ongeveer een miljoen mensen in de financiële sector, rekende hij voor. En zo'n vijfduizend bij de toezichthouder. 'Niet bepaald een-op-eenmandekking, vind je wel? Banken zullen altijd meer middelen hebben.'

Bij iedere grote bank detacheert de toezichthouder een team dat permanent 'patrouille- en inspectiewerk' doet, legde hij uit. Het doel is de risico's te begrijpen die bankiers nemen. Hoe had dat vóór 2008 gewerkt met de CDO's en hun varianten? Veel salesmensen hadden geen idee gehad wat ze aan het verkopen waren, zei hij. De bouwers van die producten natuurlijk wel. 'Die kregen ze langs risk & compliance door een sterk opgeschoonde versie te presenteren, door die producten veel simpeler en veiliger voor te stellen. Risk & compliance presenteerde dat weer aan ons.'

Uiteindelijk baseren toezichthouders zich op *self-declaration*, ging hij verder: wat het management aan ze voorlegt. 'Het punt is dat het management zelf vaak niet weet wat er gaande is, omdat banken zo enorm groot en complex zijn.'

Hoewel je dat natuurlijk nooit kunt weten, geloofde hij niet dat hij ooit bewust was voorgelogen. 'Het echte gevaar is niet dat het management dingen voor ons verborgen houdt. Het echte gevaar is dat het management zelf niet weet wat de risico's zijn. Omdat niemand ze ziet, of omdat mensen ze verborgen houden voor hun eigen baas.'

De crash was volgens hem dan ook meer *cock-up* dan *conspiracy*: geen samenzwering maar gepruts. De top van banken is nu eenmaal 'verscheurd', zei hij. Wat goed is voor de bank en het land hoeft niet parallel te lopen met het kortetermijnbelang van individuele bankiers.

Ik begon over het citaat dat toezichthouders idioten waren en hij haalde zijn schouders op: 'Het beeld dat wij een soort B-team zijn dat het niet is gelukt bij een bank te komen of te blijven, herken ik niet. Er is bij ons meer ruimte voor excentriciteit, omdat de cultuur minder conformistisch is. Maar B-team? Vraag het anders aan de recruiters – die bieden ons constant banen aan bij de banken.'

Je hoeft echt niet zelf te solliciteren, ging hij verder. Recruiters krijgen je cv te pakken en benaderen je namens een bank. 'Logisch. Ik weet precies wat de toezichthouder eist, hoe bont een bank het kan maken voordat er wordt ingegrepen, en als dit gebeurt weet ik hoe het verdergaat.' Hij zuchtte, en zei toen bijna opgewekt: 'Iedereen bij ons zou minstens 40 procent meer kunnen verdienen aan de andere kant. Als ik bij mijn bank was gebleven, verdiende ik nu zeker twee tot drie keer zoveel. Ik zou op weg zijn naar een heel andere lifestyle. Dat is de echte karaktertest: kun jij nee zeggen tegen drie of vier keer je huidige salaris?'

*

Het zonovergoten hoekje op Canary Wharf waar we dit gesprek hadden, kan ik nog zó uittekenen – hoe we daar op een bankje in de schaduw tegenover een koffiekiosk zaten. Ik weet nog dat ik nadien de Docklands Light Railway nam en dat het zonlicht dat weerkaatste in de glazen banktorens me met mijn ogen deed knipperen.

Wat een contrast tussen die prachtige lentedag en het inktzwarte beeld dat de senior toezichthouder schetste. Dat dit zo is blijven hangen, komt denk ik omdat dit gesprek een keerpunt was. Tot de senior toezichthouder had ik toch nog ergens hoop gehad op Goed Nieuws, een verlossende reden waarom een crash niet gewoon weer kan plaatsvinden.

'Is de sector *fixed* sinds de crisis?' had ik hem op de man af gevraagd. Zijn antwoord: '*I don't think so.*'

Blijf dan nog maar eens in de ontkenning.

DEEL III
GAAN ZIJ HET OPLOSSEN?

9
Tandenknarsers en Neutralen

Systematisch opinieonderzoek heb ik niet kunnen vinden, maar naar mijn indruk hebben heel weinig buitenstaanders meegekregen dat in 2008 de wereld-zoals-ze-die-kennen een bijna-doodervaring had.

Niemand die indertijd het gevaar zag, had er natuurlijk belang bij nog meer onrust te zaaien. De volstrekt nuchtere voormalig voorzitter van de Europese Raad Herman Van Rompuy wachtte tot 2014 met zijn uitspraak dat we op 'enkele millimeters van een totale implosie' hebben verkeerd.

Het is vast ook makkelijker om met een pakkende Hollywood-film het grote publiek de ogen te openen voor de dreiging die uitgaat van asteroïden, epidemieën of buitenaardse wezens dan van zoiets abstracts als het mondiale financiële systeem in zijn huidige vorm. Dan is er de code of silence die als een deken geluiden uit de sector smoort en vervormt, en het feit dat je op school bijna niets leert over de werking van de financiële wereld. Mij is althans meer onderwezen over de oude Egyptenaren dan over banken.

Hoezeer de onwetendheid voortduurt, merkte ik wanneer vrienden en bekenden in de loop van de blog informeerden naar wat mij over die bankiers nu het meest verbaasde. Velen stelden die vraag bijna lacherig, alsof er niet werkelijk iets op het spel stond, en leken een antwoord te verwachten met trefwoorden als 'hebzucht', 'cocaïne' of 'arrogantie'. Geregeld verwees iemand naar het personage Gordon Gekko in de film *Wall Street* en diens histori-

GAAN ZIJ HET OPLOSSEN?

sche credo: '*Greed, for want of a better word, is good.*'

Ik slikte dan in dat Gordon Gekko geen bankier is maar een *corporate raider* die bedrijven tegen hun zin overneemt, en zei dat ik me van drie dingen een hoedje ben geschrokken. Ik had geen idee hoeveel schade de financiële wereld kan aanrichten, laat staan hoe dicht we in 2008 bij de afgrond zijn geweest. Maar het meest ben ik geschrokken van het ingebakken kortetermijndenken bij zulke kennelijk levensgevaarlijke banken. Dat mensen zonder blikken of blozen 'hun' bank omschrijven als een inwisselbaar platform of 'schil', en dingen zeggen als: 'Je hebt nu eenmaal een plek nodig om te handelen. Maar het is wij als handelaren tegen de bank.'

Dit antwoord maakte mijn vrienden en bekenden vaak wat ongemakkelijk, en soms vroegen ze of mijn geïnterviewden misschien niet overdreven.

Dat had ik zelf ook lange tijd gehoopt, natuurlijk. Wie wil leven in een wereld waar reële problemen en dreigingen niet worden aangepakt? Maar ontkenning heeft haar grenzen en ik herinner me precies wanneer ik die fase ontgroeid was, als bij een dijk waarin de beukende zee eindelijk een bres slaat.

Het ging in drie stappen en begon met de persconferenties van Britse 'too big to fail'-banken over hun jaarresultaten, waar *The Guardian* me in maart 2013 op afstuurde. Met collega's van andere media toog ik naar de grote, glimmende gebouwen met prachtig uitzicht over de City om te luisteren naar CEO's die ons geroutineerd bedolven onder cijfers en percentages, staaf- en taartdiagrammen. Ze zeiden dingen als: 'Wij hebben het volste vertrouwen in onze kapitaalratio', en: 'Onze strategie is en blijft de belangen van al onze stakeholders centraal te stellen.' Mogelijke sancties in de toekomst als gevolg van recente schandalen waren *legacy issues*, terwijl HSBC een monsterboete in Amerika wegens het witwassen van drugsgeld omschreef als *regulatory and law enforcement matters*.

Kort daarvoor hadden we de jaarverslagen gekregen. Zelfs zonder de bijlagen was die van de Royal Bank of Scotland 289 pagina's. Lloyds produceerde 165 bladzijden en HSBC 550. Toen mochten we vragen stellen. Hoe hoog wordt de bonus van de CEO, vroeg een collega. Waar is die reservering van 250 miljoen voor, wilde een ander weten. Wanneer gaan Lloyds en RBS naar de beurs, zodat 'de belastingbetalers hun geld terugkrijgen'?

De CEO's spraken de routiniers onder de journalisten aan bij hun voornaam en gaven dan een lang en betekenisloos antwoord. Na afloop zei een collega bij een broodje: 'Tot voor kort deed ik politiek nieuws. Het gekke is: je kunt je in de financiële journalistiek redden zonder echt te weten waarover het gaat. Er zijn telkens nieuwe cijfers en resultaten. Daarop verzamel je reacties, en door naar de volgende ronde cijfers en resultaten.'

Bij de genationaliseerde banken RBS en Lloyds konden journalisten na afloop van de persconferentie informeel met de top praten. Het zelfstandige HSBC scheepte de pers af met een telefonische *conference call*, die voor de helft opging aan het voorlezen door de CEO van een voorbereide lap tekst.

Wat waren die persconferenties nu geweest? Een weekend maalde het, en toen besefte ik: rituelen. De cijfers en PR-frasen, de focus bij journalisten op bonussen en details... Al dan niet bewust hadden de CEO's samen met de pers een voorstelling geënsceneerd die impliceerde: het is weer business as usual.

Ja, banken hebben tienduizenden en nog eens tienduizenden werknemers, vaak verspreid over allerlei landen, die zich bezighouden met onderling totaal verschillende en vaak uiterst complexe producten en activiteiten. Ja, de afgelopen jaren zijn hun CEO's overvallen door schandaal na schandaal ergens in dat imperium van ze, en inderdaad gaven hun jaarverslagen de afgelopen tien jaar een volstrekt vertekend, om niet te zeggen misleidend beeld van de werkelijke risico's die de bank liep.

Maar, droegen de CEO's uit, dit lag nu allemaal achter ons, en ik besefte dat ik als 'nieuwsconsument' hierin was getrapt: het financiële systeem is weer veilig, nu moeten enkel nog die bonussen worden 'geregeld' – daar hoorde je media en politiek immers het meest over.

Alleen was ik de onwetendheid voorbij, en zo langzamerhand ook de ontkenning. Het was tijd voor de woedefase, die doorbrak toen ik, even terug in Nederland, afsprak met Peter van Ees. Ik ken Peter al meer dan vijfendertig jaar, omdat we in dezelfde buurt in Hilversum zijn opgegroeid. Hij was zakenbankier geworden en had een prachtige carrière gemaakt op de Amsterdamse vestiging van de Zwitserse bank UBS. Hij had daar hetzelfde gedaan als collega's in de City, en toen we afspraken in Café Americain op het Leidseplein vroeg ik allereerst hoe hij aankeek tegen de code of silence. Zolang je de gebruikelijke vertrouwelijkheid jegens de bank en de klanten in acht neemt, zei hij, was er wat hem betreft geen enkele reden om niet over de sector te praten.

Daar zaten we, als twee grote mensen in een grand café in Amsterdam. Interviewen is een raar vak. Je ontmoet iemand voor het eerst, oogst in een intensieve en soms merkwaardig intieme sfeer zoveel informatie als je kunt, dan overleg je per e-mail of telefoon over onduidelijkheden, en daarna heb je nooit meer contact.

Hoewel ik sommige geïnterviewden bleef zien, ging het met de meeste al anderhalf jaar zo, en wie weet was daarom het mondiale financiële systeem waarin de City zo'n centrale rol speelt op een merkwaardige manier abstract voor me gebleven – als iets wat alleen anderen raakt, kwetsbaar maakt en bedreigt.

Maar toen zat ik dure koffie te drinken en tosti's te eten met Peter. We waren elkaar uit het oog verloren, maar jarenlang vormden Peter en ik de niet altijd even hechte defensie van ons team bij voetbalclub Actif. Jarenlang waren we 's avonds na de training naar huis gefietst, nerds onder elkaar die de voors en tegens afwogen:

kon je nu beter Grieks laten vallen of Latijn?

Als je mekaar al zo lang kent, kun je veel overslaan en antwoorden meteen plaatsen. Peter zat bij UBS toen Lehman instortte, en bijna met tegenzin vroeg ik of de verhalen van geïnterviewden over de uren en dagen na de val van Lehman klopten: het hamsteren, pinnen en goud wisselen, de voorbereidingen voor evacuatie van de kinderen naar het platteland, wapens die zouden zijn ingeslagen...

Als iemand overtuigend antwoord kon geven of dit indianenverhalen waren, was het Peter. Met zijn ervaring en vooral: zijn nuchterheid.

'Ik keek vanaf mijn bureau uit het raam en zag de bussen langsrijden,' zei hij. 'De auto's, motors en fietsen. Overal mensen die opgingen in een gewone werkdag... Die hadden dus geen idee. Ik wel. Mijn collega's ook. Voor het eerst in mijn leven heb ik vanaf kantoor mijn vader gebeld, dat hij al zijn spaargeld moest overhevelen naar een veiligere bank. Wat hij meteen deed. Toen ik die dag naar huis ging, was ik echt bang. Ik besefte: zo moet oorlogsdreiging voelen.'

*

Godverdomme. Dat vat mijn stemming na dat gesprek met Peter het best samen. Dit was echt gebeurd. Maar veel erger nog: dit kon gewoon weer gebeuren.

Hoeveel geïnterviewden hadden de term wel niet laten vallen: 'business as usual'? Sinds 2008 zijn er vele vrome woorden gesproken, het middle-office heeft iets meer macht en status, en menigeen boven in het front-office is op een peperdure cursus 'cultuurverandering' geweest. Maar de onderliggende structuur van de financiële wereld is intact gebleven.

Wereldwijd moeten banken nu iets hogere kapitaalbuffers aanhouden, of beter gezegd: een groter deel van hun risico's financieren met eigen vermogen. Mogelijk gaan deze eisen enigszins omhoog in 2019, maar dat is afwachten. In Amerika is speculeren door banken met eigen kapitaal (prop trading) aan banden gelegd, min of meer, en de Europese Commissie heeft een paar banken gedwongen hun zakenactiviteiten in te krimpen of af te stoten – met als onbedoeld gevolg dat de rest de markt nog makkelijker onderling kan verdelen, want er komen geen nieuwe banken bij.

Banken zijn niet opgeknipt en versimpeld, zodat ze weer failliet kunnen gaan, maar er komt een Europees bankenfonds dat een omgevallen bank straks ordelijk kan demonteren. Maar wie staan achter dat Europees bankenfonds wanneer in een echte panieksituatie veel banken tegelijk ten onder gaan? Inderdaad: de belastingbetaler.

De facto-kartels en niches waar een handjevol spelers monsterwinsten kan boeken, zijn niet opengebroken, maar er komt een makkelijk te omzeilen bonuslimiet die zulke winsten aan het zicht onttrekt.

De lijst is veel langer, maar het patroon blijft hetzelfde: op 2008 is gereageerd met symptoombestrijding. Geen nieuwe start, maar enorm veel extra regels – met als onbedoeld gevolg dat het nog moeilijker is een nieuwe bank te beginnen, want die regels vergen veel risk & compliance-personeel, en waarvan ga je die betalen?

Rond de eeuwwisseling legde het dot.com-schandaal grote belangenconflicten bloot tussen activiteiten die vroeger in afzonderlijke firma's waren ondergebracht. Moesten zakenbanken na al dat kostbare machtsmisbruik deze activiteiten scheiden? Nee, er kwamen 'Chinese Muren', bewaakt door de eigen risk & compliance-mensen.

Bij de crash van 2008 bleken zakenbankiers bij megabanken te speculeren met spaargeld uit de consumentenpoot. Zijn megabanken gesplitst in twee verschillende bedrijven? Nee, hooguit komt er in Groot-Brittannië een 'hek van schrikdraad' (*electrified ring fence*) tussen – over een paar jaar.

De banken zelf hebben intussen nooit openheid van zaken gegeven en evenmin is er gezegd: Iedereen die in het recente verleden ons kapitaal of onze reputatie te grabbel gooide, vliegt eruit. Er is niet gebroken met de accountantskantoren en kredietbeoordelaars, laat staan dat banken zijn gaan lobbyen voor een universele verhoging van de kapitaaleisen; ze hebben miljoenen gestoken in een lobby om die buffers juist laag te houden.

De grootste banken in de wereld blijven beursgenoteerd, in de City hebben mensen nog steeds nul ontslagbescherming en regeren de code of silence en caveat emptor. De drie kredietbeoordelaars hebben hun de facto mogen behouden, net als de vier accountantskantoren – die in vrijwel alle landen mogen blijven bijklussen voor de banken van wie ze de boeken onafhankelijk moeten controleren.

Oud-Labour-premier Tony Blair verdient al jaren minstens 2,5 miljoen pond als adviseur voor megabank JPMorgan, en Hector Sants, die als hoofd van de Britse toezichthouder in 2008 zijn sector in elkaar zag zakken, kreeg begin 2013 een baan bij de megabank Barclays. Zijn geschatte 'compensatie': 3 miljoen pond per jaar.

Godverdomme. Ik ontmoette een zestiger die tot zijn recente pensionering bij een kleinere kredietbeoordelaar had gewerkt. Hij leek me een aardige man, en na het gesprek zag ik dat hij een sms had gestuurd omdat-ie vijf minuten te laat zou komen.

Hoe was dat geweest voor hem, in 2008? Hij werd bleek: '*Terrifying, absolutely terrifying*' – diep beangstigend. Op de dag dat Lehman failliet ging was hij met vakantie, dus daar zat-ie de hele dag op zijn BlackBerry te lezen. 'Verwarring, schaamte, ongeloof... Alle menselijke emoties heb ik doorlopen. Op een gegeven moment dreigde mijn vrouw mijn telefoon in het meer te gooien als ik niet ophield. Ik kon me er niet van afwenden.'

Hij was oprecht bang toen, en nog steeds. 'Telkens als ik lees hoe geweldig en veilig een nieuw financieel product is, denk ik: O o,' zei hij. Zo waren ook de CDO's en hun complexe varianten ooit aangeprezen.

'De financiële wereld heeft op de crisis gereageerd zoals een motorrijder op een bijna-ongeluk. De stoot adrenaline na de gelukkige afloop, en de enorme schok als je beseft wat er had kunnen gebeuren. Maar de reis gaat verder, en naarmate de plek van het ongeluk in je achteruitkijkspiegel kleiner wordt, ga je jezelf steeds meer wijsmaken dat het wel meeviel. Je herinnering vervaagt en je begint zelfs dingen verkeerd in je geheugen op te slaan – was het echt zo erg?'

Nu was hij werkelijk kwaad, en toen ik dat benoemde werd hij nog kwader: 'Als je mensen op het hoogtepunt van de crisis had gezegd dat er nu nul fundamentele hervormingen zouden zijn doorgevoerd, had niemand je geloofd. Zo totaal waren de angst en paniek. Kijk om je heen. We zijn gegaan van "Dit kostte ons bijna de kop" naar "Dat hebben we ook weer overleefd".'

*

Woede is een complexe emotie. Als je weet wat je wilt veranderen, kan ze heel nuttig zijn. Want er komt veel energie bij vrij. Maar woede plus machteloosheid is een doodlopende weg met als eindpunt depressie.

Nieuwsgierigheid kan dan soelaas bieden, althans tijdelijk. Ik las alles terug, en nam bij nieuwe interviews de vraag mee: Waarom doen jullie niks? Stel, een kerncentrale wordt volgens dezelfde kortetermijnprincipes gerund als de grote banken. Dan hoop je toch dat medewerkers alarm slaan? Inderdaad werkt lang niet iedereen op een terrein dat de bank fataal kan worden. Maar vrijwel overal heersen fundamentele belangenconflicten, met perverse prikkels en dus schandalig gedrag tot gevolg.

Waarom doen insiders niets, of constructiever geformuleerd: hoe realistisch is de hoop dat de verandering van binnenuit gaat komen? Dat werd de laatste grote vraag voor de blog, en in de responssectie was het antwoord heel vaak: Uiteraard gaan die *greedy bastards* niet veranderen. Waarom zouden ze?

Het idee dat mensen in de City enkel worden gedreven door hebzucht is onuitroeibaar populair, ongetwijfeld aangeblazen door de media-aandacht voor bonussen en films als *Wall Street* en recenter *The Wolf of Wall Street*. Maar als ik goed naar mensen luisterde, schoot 'hebzucht' als verklaring voor hun gedrag zwaar tekort. Sterker nog: de focus op 'hebzucht' is denk ik de grootste fout die buitenstaanders in de nasleep van 'Lehman' hebben gemaakt.

Op een feestje in Londen vroeg een man of het klopte dat ik onderzoek deed naar bankiers. Ik knikte en liet hem op mijn telefoon een paar interviews op de blog zien – kijk, nergens namen van bankiers of banken. Hij werkte in risk & compliance bij een van de allergrootste banken ter wereld, en vertelde over de stortvloed aan tegenstrijdige en vaak overbodige nieuwe regels voor de banken, op nationaal, Europees en mondiaal niveau. Hij nam een flinke slok bier – duidelijk niet zijn eerste die avond – en zei: 'Iedere dag zie ik dingen die niet kunnen. Niet iets waaraan de bank failliet kan gaan, wel dingen waarvoor mensen de gevangenis in zouden draaien.'

Zoals?

Hij weifelde even. 'Ach, *fuck it*: jaarcijfers van "bevriende bedrijven" die al voor de officiële bekendmaking op de handelsvloer rondgaan. Kritische opmerkingen die worden verwijderd uit rapporten over bedrijven waarvan wij de beursgang hopen te doen...'

Hij moest dus de Chinese Muren bewaken en, zo zei hij briesend, hij werd aan alle kanten gedold.

Ik haalde nog een biertje, en hij vertelde dat de City ooit de plek voor een geweldige carrière had geleken. 'Het klinkt nostalgisch, ik weet het, maar het was een mooi salaris voor interessant en nuttig werk. Goede sfeer, flexibel met kinderen zolang je je werk goed deed. Toen werden we overgenomen door een Amerikaanse bank. Je ging bizarre uren draaien. Er kwamen ontslaggolven. Vroeger had je feestjes voor mensen die twintig jaar bij de firma zaten, dertig jaar... Dat is voorbij. De veteranen zijn eruit gegooid. Van de nieuwe generatie zit niemand meer een leven lang bij dezelfde werkgever.'

Je kunt zeggen: dronkenmanspraat. Maar de belangenconflicten die hij schetste bestaan echt, en toen ik hem een paar keer nuchter sprak, bleef zijn verhaal hetzelfde.

Hij werkte dus bij risk & compliance, waarover niet alleen front-officezakenbankiers, maar ook boeken voor en door insiders vaak neerbuigend doen. De voormalige middle-officeveteraan Satyajit Das definieert ze in *Traders, Guns & Money* bijvoorbeeld als 'degenen die een lijst bijhouden van de documenten die bij een probleem moeten worden vernietigd'.

Maar de man van het feestje zei juist, net als anderen van interne controles die zich opgaven voor interviews: 'I want to do a good job' – Ik wil mijn werk goed doen. Maar dat wordt mij door mijn eigen bank onmogelijk gemaakt.

Waarom trokken ze dan niet aan de bel? Ik zocht de man van het feestje nog eens op, en zijn gezicht verkrampte bijna van frustratie. 'Wat ga ik doen, op mijn eenenveertigste? Ik heb een hypotheek, kinderen... Waar is buiten de banken vraag naar wat ik kan?'

Was hij bang dat zijn bank hem eruit zou gooien? Zijn gezicht werd een bittere grimas: 'Ik heb de afgelopen jaren zoveel shit over ze verzameld. Dat weten ze. Als ze mij ontslaan, stap ik naar de toezichthouder en gaan ze er allemaal aan.'

*

De verbitterde risk & compliance-medewerker is een typische representant van de groep mensen binnen de City die je de 'tandenknarsers' zou kunnen noemen. Hun antwoord op de vraag waarom ze niks doen luidt niet 'hebzucht' maar 'angst'. Als je dan doorvraagt, zeggen ze: 'Want ik zit klem.'

De eerste keer dat ik dit hoorde vond ik het een beetje makkelijk, maar als inwoner van Londen ontdekte ik gaandeweg wat mensen bedoelden. De sleutel is het schoolsysteem. Engelsen zien zichzelf in alle oprechtheid als de uitvinders en hoeders van fair play, en tegelijk lijkt bijna iedereen het normaal te vinden dat kinderen van rijke ouders beter onderwijs krijgen dan kinderen van arme ouders.

7 procent van de kinderen in Engeland gaat naar een privéschool, terwijl de helft tot twee derde van de medische, journalistieke, rechterlijke, juridische en ambtelijke elite van een privéschool komt. De duurste scholen kosten tienduizenden ponden per kind per jaar, na belasting, en vrijwel alle Britse toppolitici komen hiervandaan, van links tot rechts. Nogal wat prominente linkse commentatoren komen van topprivéscholen als Eton, en veel progressieve journalisten sturen hun kinderen weer naar privéscholen. Misschien staat daarom het schoolsysteem in de publieke opinie relatief laag op de agenda. Hoe ageer je tegen een praktijk die je zelf in stand helpt houden?

Daar zit je, als Engelse vader of moeder. Sommige religieuze scholen zijn heel goed, maar daar mogen alleen gelovigen naartoe. Sommige van de gratis staatsscholen zijn zo goed dat je er je kansen op een plekje op een elite-universiteit niet mee vergooit. Maar huizen in de buurt van zulke scholen zijn astronomisch duur geworden. Je kunt meedingen naar een beurs voor een exclusieve privéschool, en je in de wereld van de toelatingsexamens storten. Tenzij je kind geniaal is kost dit een fortuin aan bijles.

Dan heeft Londen een nog grotere huizenzeepbel geblazen dan Amsterdam, terwijl bankmedewerkers vaak hypotheekkorting krijgen. Bij ontslag zijn ze die kwijt, terwijl ze maar moeten zien of ze elders aan werk komen. Hoe dan ook betalen banen buiten de sector zeker 20 procent minder. Is het schoolgeld dan nog op te brengen?

Zo klem zitten ouders met schoolgaande kinderen in Londen. Risk & compliance-medewerkers hebben bij lange na niet het geld voor Eton of een andere topschool, maar ook 5000 pond per kind per jaar hakt er diep in – zeker omdat er schooluniformen moeten komen, schooltripjes gemaakt enzovoort.

In deze val was de man gelopen die op het feestje hardop toegaf dat hij dagelijks de ogen toekneep bij crimineel gedrag. Het kan toeval zijn, maar niemand van de geïnterviewden die later meldden de sector te hebben verlaten, had kinderen.

*

Er zijn in de City mensen die een ander en beter systeem willen. Dat is de kern van de verhalen van mensen van het type 'tandenknarser', en eenzelfde geluid hoorde ik bij een tweede groep. Ook zij konden de ethische dilemma's van hun werk scherp benoemen, maar verbonden hier, met argumenten, geen verdere gevolgen aan. Je zou ze de 'neutralen' kunnen noemen, en die kom je overal in de City tegen, binnen en buiten banken, en zowel in het back-, middle- als front-office.

De personeelsfunctionaris die wilde praten over 'de kant van zakenbankieren die veelal ongezien blijft' was een typische neutrale. Dan vertelde ze dat degenen met ziekte- en zwangerschapsverlof bij een ontslaggolf als eersten werden aangekruist, nam een slokje wijn en vervolgde: 'Pff, zo klinkt mijn baan verschrikkelijk, maar ik vind het heerlijk. De adrenaline, de uitdagingen, hard tegen hard met een getalenteerde advocaat arbeidsrecht. Juridisch schaken.'

Even later zei ze dat ze een ton verdiende, om hier direct op te laten volgen: 'Een obsceen bedrag, absoluut. Daar heb je drie of vier verpleegsters voor.' Een korte stilte, en dan: 'Aan de andere kant, ik werk met mensen die nog veel meer krijgen. Ik leef heel zuinig, spaar een boel. Ik zou heel graag in Londen blijven wonen, ben echt dol op de stad geworden. Dus moet ik veel verdienen.'

De senior toezichthouder was een neutrale, net als de rock-'n-roll-handelaar. 'Ik verdien tonnen per jaar,' zei hij, 'terwijl een soldaat die voor ons land in Afghanistan vecht 22 000 krijgt.' Het is raar, ging hij verder. 'Als je vraagt of dat eerlijk is, denk ik meteen aan een collega die 5 miljoen verdient. Terwijl ik weet dat ik slimmer ben. Het leven is niet eerlijk.'

'Natuurlijk vraag ik me dat af,' zei een dealmaker die multinationals hielp bij het 'plaatsen' van leningen en die in goede jaren een miljoen pond verdiende. 'Chirurgen werken net zo hard als ik. Zij redden levens. Waarom krijg ik dan zoveel meer? Het antwoord is dat een chirurg een beperkt aantal patiënten kan opereren. Hun werk is niet schaalbaar. Mijn bank krijgt een percentage van de deals die wij doen. Het werk bij een deal van 200 miljoen is nauwelijks minder dan bij 1 miljard. Maar de commissie is wel hoger, hoewel niet vijf keer.'

Zo redeneerden neutralen over hun 'compensatie'. Ze zagen de ethische dilemma's, maar zeiden: Wat kan ik eraan doen? Ja, mijn bank is gered door de belastingbetaler. Nu krijg ik een vette bonus. Dat is absurd. Maar wat zou jij doen?

De Bankier-van-1-Miljoen wiens baan leek op die van een journalist – 'alleen beter' – noemde zich 'behoorlijk links', en in het Engels kun je onderscheid maken tussen 'verdienen' als binnenkrijgen (*earn*) en als recht hebben op (*deserve*).

Ik zei dat ik snapte dat hij een vak uitoefende waar anderen wat aan hadden, en dat hij hard werkte. Maar had hij dat miljoen in beide betekenissen van het woord verdiend?

Hij haalde zijn schouders op. 'Een klant beheert een fonds van 10 miljard pond. Mijn analyse behoedt hem voor een fout die het fonds 2 procent van de waarde zou hebben gekost. Twee of drie keer per jaar... Dat scheelt zo'n klant een heleboel geld.'

Hij keek even voor zich uit, nam een slok bier en vroeg toen: 'Verdienen jij en ik het om te zijn geboren in de westerse wereld?'

Neutralen dachten onmiskenbaar na over de morele dimensies van hun werk en beloning, zagen wat er scheef zit, en hadden daar vervolgens vrede mee gesloten. Ze zeiden: 'Ik heb voor deze sector gekozen, en heb de mindere kanten te accepteren. Ik doe mijn stinkende best en geniet van mijn werk, want het is fantastisch interessant en uitdagend. Ik hoef me nergens voor te schamen en dat doe ik ook niet.'

Ik had sterk de indruk dat dit type de waarheid sprak als ze zeiden dat ze zelf geen regels overtraden, of misbruik maakten van onwetendheid bij klanten.

Neutralen waren geweldige bronnen, omdat ze geen last hadden van de wrok en woede die tandenknarsers en klokkenluiders soms parten leken te spelen. Even liepen ze vast in borstklopperij of defensieve verongelijktheid: waarom ziet niemand hoe geweldig wij zijn?

Het was ook goed te volgen waarom ze niet in hun eentje tegen het systeem ingingen. 'Dan verlies ik mijn baan en doet de City me in de ban. Wat is er daarna veranderd? Helemaal niets.'

Vergelijk het met jouw CO_2-uitstoot, zeiden er een paar. Jij kunt je leven totaal omgooien om klimaatneutraal te gaan leven. Is het probleem dan opgelost? Maar jouw leven ligt overhoop.

Ik besef hoe machteloos ik als eenling ben, zeiden neutralen, en ik wil dingen niet erger maken. Met 'hebzucht' had hun houding weinig te maken, althans, menigeen gaf aan meer te kunnen verdienen maar hiervan af te zien.

De rock-'n-rollhandelaar verwachtte niet lang meer in de City te werken. 'Je voegt niks toe,' legde hij uit. 'Ik voel me steeds meer aangetrokken tot beroepen waarin je iets bouwt, iets neerzet. Mijn leven draait al tien jaar om cijfers op een scherm. Dat kan niet gezond zijn, toch, om dat een leven lang te doen?'

Zoiets is altijd makkelijker gezegd dan gedaan, maar bij de saleshandelaar die het bonusritueel lachend afdeed als 'allemaal theater' zag ik met eigen ogen dat het cliché 'pakken wat je pakken kan' lang niet altijd klopt.

Hij had als student een regio intensief bereisd, en was met de opgedane kennis de sector in gerold. Hij adviseerde een vaste groep beleggers over zijn regio en fungeerde als vraagbaak. 'Als bij een groot veebedrijf een virus uitbreekt, willen ze weten: waait het over of kan dit het bedrijf nekken? Klanten praten dagelijks met tien tot vijftien banken en vormen dan hun eigen *view* of standpunt.'

Tijdens de *boom*-jaren voor 2008 lagen er vaak folders in zijn brievenbus van huizenmakelaars, zei hij: 'City-bonus, weet u niet wat u ermee aan moet?' Een grote bonus doet iets met je hoofd, had hij gemerkt. 'Je gaat denken: Wow, dit ben ik dus waard. Die term is veelzeggend: "waard".'

We spraken nog eens af, nu bij hem thuis, waar ik kon vaststellen dat die folders altijd bij het oud papier waren gegaan en dat hij nooit boven zijn stand was gaan leven. Evenmin had hij kinderen. Bij een kop thee legde hij uit waarom hij zo gelukkig was op zijn werk: 'Met klanten de halve wereld over voor bezoeken aan bedrijven waarin zij investeren. Ik zie die bedrijven veranderen, de landen veranderen...' Je bouwt een band op met klanten, en bij een overstap naar een andere bank zouden die meegaan.

Had hij dat vaak gedaan, *hoppen* tussen banken om een gro-

tere bonus te kunnen bedingen? Hij grinnikte van nee, en benadrukte dat hij daarmee een echte uitzondering was. 'Niemand van
de driehonderd mensen met wie ik begon, zit hier nog. Allemaal
vertrokken of ontslagen.'

Maar waarom zou hij? 'Moet ik me weer invechten op zo'n
nieuwe plek.' Bij zijn bank werkte zijn loyaliteit trouwens bijna
tegen hem, had hij gemerkt. 'Alsof de top naar je cv kijkt en denkt:
Wat is er mis met deze gast?'

'Werken in de City geeft echt een kick,' zei hij bij nog een kop
thee. 'Maar het is een aanslag op je nuchterheid. Ik heb er tot nu
toe enorm van genoten. Van het ene op het andere moment kan
het voorbij zijn. Voor dat risico krijg je extra betaald. Vandaag is
het mijn tijd, morgen die van iemand anders.'

*

Gesprekken met neutralen behoorden tot de aangenaamste en
meest lonende. Veel van de weeffouten in de architectuur van de
sector ben ik dankzij hen gaan begrijpen. Ze deden niets, maar
hadden er een scherp oog voor.

Wat een verschil met het 'Master of the Universe'-type, dat een
heel ander antwoord gaf op de vraag waarom zij niet aan de bel
trokken.

10
Masters of the Universe

'Bij grote deals ontstaan vriendschappen als tussen wapenbroeders – met de klant, met collega's van andere banken die aan dezelfde deal werken, met je team... Het begin is formeel. Je ziet er piekfijn uit, net als je pitch en presentatie. Maanden later zit je in een kamer waar je al 24 uur niet uit bent geweest. Je overhemd is halfopen, je stinkt, je stort je in de onvermijdelijke last-minute onderhandelingen met de advocaten, het duurt en het duurt, en dan... wordt er getekend. Het is echt en het is *dirty*, bijna vies, en op een bepaalde manier heel mannelijk. Dat punt waarop je broodjes laat komen, naar buiten loopt en besluit dat nu het moment is om weer te gaan roken. De sterke verhalen: "Weet je nog die keer toen de klant dit zei, en jij toen antwoordde...?" '

Zo beschreef een voormalige managing director de beursgangen die hij jarenlang begeleidde. Hij sprak en dacht helemaal als het type dat ik de 'Master of the Universe-bankier' ben gaan noemen, wat de meesten tot mijn verbazing prima vonden. De bijnaam is bedacht door de Amerikaanse schrijver Tom Wolfe, als spottende karakterisering van een zakenbankier die door hoogmoed ten val komt. Hoe dan ook leken Masters of the Universe niet enorm geïnteresseerd in literatuur, of zelfspot.

Soms herkende ik wel iets. 'Een deal doen is als een goal scoren,' zei de voormalige beursgangbankier, 'misschien wat voor journalisten een primeur is.' Mensen hadden het in alle ernst over een

147

orgasme, of een 'bijna narcotisch' gevoel als je een deal binnen-haalt. 'De bank 's ochtends binnenlopen, wetend dat er net een felicitatie-e-mail is uitgegaan: "Hé allemaal, die en die heeft iets fantastisch gedaan." E-mails stromen binnen, op de gang houden mensen je aan. Je voelt je *on top of the world*.'

Ziedaar een vrij nauwkeurige beschrijving van mijn eigen ge-moedstoestand toen ik voor het eerst de voorpagina van *The Guar-dian* 'haalde' – inclusief collega's op de gang die opeens wisten wie ik was.

Waar neutralen spraken van een dagelijkse puzzel en 'uiteindelijk gewoon een baan', was de inzet voor Master of the Universe-ban-kiers hoger. Zij namen hun ego mee en zagen hun werk als een race of een wedstrijd waarin ze zich konden meten en bewijzen.

Dit waren extreem competitief ingestelde mensen. Ze genoten overduidelijk van hun werk en leken het heerlijk te vinden om te vechten met hun hersens. *Work hard, play hard* en woorden als 'du-wen' of 'agressief' gebruikten ze in positieve zin: 'Wie verder wil komen in deze wereld moet iemand zijn die zichzelf altijd voort-duwt, die agressief kan zijn.'

Men had het over 'het interessantste werk op aarde' en diepe camaraderie met gelijkgestemde collega's. Het woord 'vriendschap' viel zelden, laat staan 'solidariteit', en gevraagd naar parallellen be-gonnen ze over oorlog: een team dat maanden werkt aan een deal is een *special forces*-commando-eenheid, de handelsvloer met al die rijen schermen een loopgraaf.

Mijn eerste echte Master of the Universe was eind dertig en had een prachtige carrière als researchanalist gemaakt. Ze had een Aziatische achtergrond, groeide op in de Britse middenklasse en was meteen na haar opleiding aan een topuniversiteit begonnen bij een topbank.

Wanneer er in de wereld iets belangrijks gebeurt, had ze vijf minuten om te voorspellen hoe dit de waarde van 'haar' bedrijven kan beïnvloeden, legde ze uit. Daarna ging haar view naar de *investment community* van grote beleggers. 'Wanneer ik belangrijk nieuws zie, verander ik mentaal en zelfs fysiek.'

Stel je voor wat een invloed ik heb, zei ze, en welk prestige daarbij hoort. 'Wanneer een analist bij een topbank zoals ik de aanbeveling over een bedrijf verandert van "neutraal" naar "kopen", gaat de koers soms procenten omhoog. Dan heb je alle beleggers in dat bedrijf, onder wie de CEO met zijn aandelen, miljoenen rijker gemaakt.'

Ze keek me aan. 'Stel, jij hoort dat Israël op het punt staat Iran aan te vallen. Wat doe je?' Ik dacht even na en zei dat ik misschien even naar huis zou bellen om mijn dierbaren gerust te stellen. Ze grinnikte, bijna betrapt. 'Jij zit in de echte wereld. Mijn hoofd gaat alle kanten op. Eerst denk ik: Koop opties olie. Die gaan omhoog als de olietoevoer wordt verstoord. Dan: Koop aandelen Amerikaanse defensie-industrie. Wie doet straks de wederopbouw van Iran? Wordt het regime pro-Amerikaans, dan krijgt Halliburton waarschijnlijk de orders. Een "koopkans". Wat is de impact van zo'n oorlog verder op mijn beleggingen? Moet ik aannames en waarderingen aanpassen? Enzovoort.'

De zakenbank is gewoon een extreem stimulerende omgeving, zei ze, bijna gelukzalig zuchtend. 'Zoveel slimme mensen, alles zo efficiënt, professioneel. Sinds mijn eenentwintigste verblijf ik in vijfsterrenhotels. Vlieg businessclass. Sommigen van mijn exen hadden hun eigen vliegtuig.'

Dat was de Master of the Universe ten voeten uit, en hier hield mijn identificatie op – en niet alleen omdat ik nooit een vriendinnetje heb gehad met een eigen vliegtuig.

Het grote verschil is de beloningsstructuur. Veel meer dan bij journalistiek is er bij zakenbankieren een helder 'afrekenmoment' mogelijk, een punt waarop je werk terug te brengen is tot één getal. Haalde jouw team die beursgang of overname binnen, en hoeveel verdiende de bank eraan? Hoeveel trades heb jij gedaan? Wat was de waarde van de complexe producten die jij hebt gebouwd en verkocht? Hoeveel kapitaal laten beleggers door jou beheren?

Waar performance valt te meten, kun je gaan vergelijken, en dat gebeurt in de City – constant. Denk aan de job titles die ooit klonken als geheimtaal. Verspreid over de City zijn er een stuk of tien, vijftien 'fusies & overnames Telecom Midden-Oosten Noord-Afrika'-bankiers met de rang van director, of 'equity derivatives structurers op het niveau van vice-president, regio, Europa'. Vrijwel iedereen zit in zo'n niche, en van iedere niche worden allerlei openbare *rankings* en *league tables* bijgehouden: hoe elke bank het doet, hoe teams binnen die bank het doen, en vanaf een bepaalde rang vaak elk individu binnen teams.

Zo kunnen Master of the Universe-bankiers hun baan niet alleen beleven als een dagelijkse race of wedstrijd, maar ook als een langlopende competitie of een permanent toernooi.

De financiële wereld is een meritocratie, zeiden mensen die bovenaan in hun klassement stonden. Ronaldo en Messi ontvangen toch ook gigantische bedragen? Nou, ik ben de Messi van de fusies & overnames farmaceutische sector, regio Europa.

Neutralen zouden zoiets niet zonder te giechelen uit hun mond krijgen, maar een Master of the Universe zei dit bloedserieus, en in boeken voor en door insiders zoals *Monkey Business: Swinging Through the Wall Street Jungle* of *Damn, It Feels Good to Be a Banker* wordt het idee van de financiële wereld als meritocratie er goed in gestampt.

Kijk om je heen, zeiden Masters of the Universe trots. In de City kom je letterlijk iedere nationaliteit, groep en sociale klasse tegen. Iedereen krijgt de kans om te laten zien wat-ie kan. Maar... alleen de besten overleven. In zo'n wereld bovenaan staan is een groots gevoel.

*

Uiteraard legde ik Master of the Universe-types de kritiek op de sector voor, en dan passeerden dezelfde argumenten als bij neutralen: dit werk is nuttig, legaal en van levensbelang voor de economie van Londen en Groot-Brittannië. Alleen klonken velen tijdens zo'n opsomming bijna afwezig, als een atleet in training voor de Olympische Spelen die tegen een journalist de argumenten moet aflopen waarom de mensenrechtenschendingen in het organiserende land geen reden moeten zijn voor een boycot.

Vaak reageerden ze zelfs geïrriteerd, of beledigd: Wat zit jij te zeuren, zeiden ze, of ben jij soms ook zo iemand voor wie de middelmaat genoeg is? 'Ik ben hartstikke trots!' ging zo iemand verder. 'In deze sector lopen de slimste mensen op aarde rond. Het is een meritocratie. En ik sta bovenaan!'

Na alle belangenconflicten en perverse prikkels die ik was tegengekomen, klonk mij dit als ontkenning of zelfbedrog in de oren. Maar zodra ik dat subtiel probeerde te zeggen, stond de boel op scherp. Anders dan neutralen vatte dit type kritiek op de sector persoonlijk op. Zo werden interviews snel een soort verbaal armpje drukken of schaken, waarbij ik opende met een argument en zij kozen uit de mogelijke tegenzetten.

De superquant, die eerder de misverstanden schetste met niet-quants, was het prototype Master of the Universe. Het was een grappige en ongecompliceerde vent die me deed denken aan marktkooplui in Amsterdam: grote bek en allergisch voor kapsones – bij anderen dan. Hij dronk cola light en koffie, en begon mij een beetje te dollen om mijn cranberrysap.

'Ik praat plat. Ik ben lawaaiig, ik kom van een shitschool,' begon hij. 'Veertig jaar terug was ik niet eens uitgenodigd voor een sollicitatiegesprek in de City. Maar in de financiële wereld maakt het niet meer uit of je homo bent, zwart, of working class. Als je beter bent dan anderen, zul je het maken.'

Zijn carrière was de meritocratie in volle glorie, wilde hij maar zeggen. Het cliché van zakenbanken als casino's stoorde hem enorm, en mede om dat recht te zetten had hij zich voor een interview aangemeld: 'Het heeft voor de bank geen enkele zin om iemand in dienst te nemen die maar wat loopt te gokken en het ene jaar 50 miljoen verdient en het volgende jaar 50 miljoen verliest.' Hij nam een slok cola light en vervolgde: 'Bankiers zijn in overgrote meerderheid fatsoenlijke en eerzame mensen, en waarschijnlijk tref je nergens zoveel introspectie en kritisch denken aan als in de financiële wereld.'

Dit was zo'n opmerking die uitnodigde tot opgewonden discussie, want we zaten midden in een golf schandalen, waarbij handelaren bij allerlei banken zich helemaal niet fatsoenlijk hadden gedragen. 'Rotte appels,' zei hij schouderophalend.

En alle risico's met complexe producten in de jaren voor 2008? Een nieuw wegwerpgebaar. Banken kennen enorme *peer-pressure*, zei hij – interne druk en sociale controle. 'Als iemand gigantische risico's neemt, springt zijn omgeving erbovenop: Hé, als die gast 100 miljoen verliest, hebben wij dit jaar geen bonus.' Mensen bij afdelingen die enorme verliezen draaien, zei hij, worden 'uitgekotst'.

Maar de exorbitant toegenomen beloningen dan? In een vrije markt doet concurrentie op prijs de salarissen dalen, want de bank met de laagste salarissen kan de scherpste tarieven rekenen – toch? Hij gaf toe dat er hoge 'toetredingsbarrières' zijn; je begint niet zomaar een bank, mede omdat alle regelgeving duur risk & compliance-personeel vergt. Regelgeving die in zijn ogen trouwens 'voor 90 procent kant noch wal raakt'. Maar, ging hij verder, 'als ons werk goedkoper kon, zou iemand dat wel doen. Dit is gewoon hoeveel het kost.'

Zo veegde hij ieder verwijt aan de financiële wereld van tafel:

het lag niet aan de sector, niet aan de banken, niet aan zíjn bank, en niet aan mensen zoals hij binnen zijn bank. De crash? Een eenmalige 'perfecte storm', te wijten aan marktverstorend beleid van politici en incompetentie bij met name verzekeraar AIG. En er zijn nu eenmaal dingen die zeer onwaarschijnlijk zijn maar een immense impact hebben, zei de quant in hem. 'Statistisch gezien was op 11 september 2001 om kwart voor negen 's ochtends de kans dat twee vliegtuigen zich in het World Trade Centre zouden boren vrijwel nul.'

*

Zijn Master of the Universe-types echt zo zelfingenomen? Eenmaal kon ik een blik achter de façade werpen, en dat begon met een e-mail: 'Spreek jij eigenlijk wel eens *happy bankers*? Jouw geïnterviewden zijn allemaal zo... *miserable*.'

Kort daarna zaten we in een restaurant op Canary Wharf, te midden van honderden mensen in pak die hun aandacht verdeelden tussen hun disgenoot, hun bord met eten, en hun telefoon of telefoons.

Hij werkte bij een megabank in *treasury sales*, rang director. Voor het beheer van de interne geldstromen had zijn megabank een aantal instrumenten ontwikkeld, die de Happy Banker weer als producten aan bedrijven en financiële instellingen verkocht. 'Wij helpen de bank risico's af te dekken en verkopen producten die andere firma's helpen hetzelfde te doen. Wie kan daar tegen zijn?'

Hij prikte een vorkje. 'Als ik jouw blog lees, ga ik me bijna zorgen maken. Jouw lezers krijgen een vertekend beeld. Er zijn heel veel happy bankers, die net zo genieten van hun werk als ik.'

Hij haalde zijn schouders op: 'Zakenbanken zoals de mijne hakken regelmatig het dode hout weg, en dat spul komt bij jou uithuilen. Het is ook niet makkelijk. Zij zijn eruit gegooid terwijl hun collega er nog zit. Omdat-ie beter was. Bij de bank ontslagen worden is een beetje als gedumpt worden door een vrouw en dan horen: "It's not you, it's me." Het ligt niet aan jou, het ligt aan mij.'

Precies dit meritocratische trok hem zo aan: 'Mezelf dankzij de prestatiecultuur te zien groeien. Weten dat je eruit vliegt als je het niet aankunt. Ik ben iemand die met de haaien wil zwemmen – kijken of ik het overleef.' Hij was gesjeesd als student, maar zijn bank had niet eens gevraagd naar diploma's. 'Ik ben ook nooit racisme, seksisme of homofobie tegengekomen, en de simpele reden is dat *people just don't give a fuck who you are*. Het gaat erom wat je kunt...'

Hij zweeg, zodat ik mijn aantekeningen kon bijwerken, en ik dacht: Een Master of the Universe van het zuiverste water.

'Bijna iedereen bij mijn bank is fatsoenlijk en oké,' ging hij verder. 'Tuurlijk heb je hier en daar naarlingen. Waarom vliegen die er niet uit? Zolang ze geld binnenbrengen is dat lastig.'

Hij vertelde grinnikend over een etentje laatst, met mensen die elkaar nog niet kenden. 'Sommige collega's proberen in zulke omstandigheden te verbergen dat ze bankier zijn – niet mijn stijl. Iemand aan tafel zei dat hij chirurg was. Nou, dat deed het goed bij de vrouwen. Toen zei ik dat ik bankier ben en er brak een heftige discussie los: "Kijk eens naar die chirurg, die doet tenminste nuttig werk." Waarop ik zei: "Bankieren is net zo nuttig." De vrouw naast me explodeerde bijna – "Jullie zijn parasieten" enzovoort. Ze ging helemaal los, maar onder tafel wreef ze intussen met haar hand over de binnenkant van mijn dij.'

Voor sommige vrouwen is de mix onweerstaanbaar, had hij gemerkt. 'Dat idee van *rich and evil bad boys*.'

Ik werkte het allemaal uit en stuurde hem de kladversie ter correctie. Hij verwijderde een anekdote over een mislukte deal die naar hem te herleiden viel en ik wilde de boel net online zetten toen er een e-mail binnenkwam. Of ik kon wachten met publicatie.

We spraken opnieuw af, nu in Le Coq d'Argent, een duur dak-restaurant in het hart van de historische City met uitzicht op het voormalige beursgebouw. Een paar weken eerder had een bankier zelfmoord gepleegd door naar beneden te springen en nu waren er hoge hekken aangebracht. Aan zelfmoord dacht de Happy Banker niet, maar er zat een ander mens tegenover me.

'De emoties kwamen toen ik buiten mijn vrouw moest bellen. Vertellen wat dit inhield voor ons gezin...' We bestelden koffie en aan alles kon ik merken dat hij tijd had. 'Misschien voorvoelde ik dat de beslissing al was gevallen, hogerop?' zei hij. 'Dat ik mezelf daarom overschreeuwde tegen jou?' Mogelijk, dacht hij hardop, was hij ook ten prooi gevallen aan de illusie dat mensen hun lot in eigen hand hebben. 'Dat er niks slechts kan gebeuren zolang je alles goed doet, en aangezien er niks slechts met je gebeurt, moet dit wel bete-kenen dat je alles goed doet. En veilig bent. Zoals militairen zichzelf voorhouden dat ze niet kunnen sneuvelen omdat zij geen fouten maken. Maar ook de beste soldaat kan over een landmijn rijden.'

Het was precies gegaan zoals hij had verwacht. 'Mijn baas belde en er was iets met zijn stem – of ik naar beneden kon komen. Het voelde als een mars naar het vuurpeloton.' Hij kreeg direct het slechte nieuws, en inderdaad gebruikten ze de *it's not you, it's me*-formule: er moest worden bezuinigd en zijn rivalen hadden meer ervaring.

Hij snapte dat de bank zijn telefoon had geblokkeerd op het moment dat zijn gesprek met Personeelszaken begon. Net als zijn e-mail. 'Wie weet draai ik door en ga ik klanten van de bank bel-len, een zooi wilde e-mails sturen...'

Terwijl hij onder het toeziend oog van een bewaker zijn spullen stond in te pakken, was er een collega op hem afgekomen die iets van hem nodig had. 'Dus ik moest hem vertellen: *Luister*, ik ben net ontslagen.' Waarop die collega aandrong of ze toch even kon-den praten, om de dossiers goed over te dragen. 'Onhandigheid natuurlijk,' zei de Happy Banker vergevingsgezind.

Een paar minuten later stond hij met een geblokkeerd pasje buiten en belde zijn vrouw. Met collega's had hij geen contact meer, zei hij. 'Als we uitgaan praten we hoofdzakelijk over werk. Wat voor zin heeft het dan?'

Beneden gromde het verkeer en op ons dakterras druppelden de eerste duur geklede figuren binnen voor de borrel. Nog een koffie, met opnieuw van die lekkere koekjes erbij ter rechtvaardiging van de belachelijk hoge prijs.

'Ik vind het uiteraard vreselijk voor je,' zei ik. 'Maar je bent een interessant laboratoriumexperiment.' Even aarzelde ik, maar wie wil 'zwemmen met de haaien' kan ook confronterende vragen aan. 'Eerder zei je dat alleen de besten overleven. Nu lig je er zelf uit...'

Hij keek me aan en ik had bijna spijt. 'Ik vind nog altijd niet dat zakenbankieren verschrikkelijk is. Het blijft de plek waar ik het best tot mijn recht kom. Onderzoek toont aan dat het leven van een wild dier grotendeels bestaat uit angst, stress en pijn. Toch ben ik liever een wild dier dan een huisdier.'

*

Als ik in het Londense uitgaansleven bankiers van het type Master of the Universe met geld zag smijten, dacht ik wel eens aan de Happy Banker en zijn plotselinge kwetsbaarheid. We hielden contact, maar ik kwam er ook bij hem niet achter of hij werkelijk geloofde dat de sector gezond in elkaar zit. Vaak bekroop me het gevoel dat Masters of the Universe het interview zelf ook weer zagen als een debatwedstrijd, waarbij punten scoren en gelijk krijgen zwaarder wogen dan gelijk hebben.

Zo ook toen het interview met de superquant op de blog verscheen, en hij inging op de uitnodiging om in de responssectie direct met lezers in discussie te gaan. De eindredactie had als kop gekozen 'Bankiers zijn in overgrote meerderheid fatsoenlijke en eerzame mensen', wat vijfhonderd vaak pittige reacties uitlokte – binnen een uur haalde iemand de Holocaust erbij.

In de discussie deed de superquant echt zijn best, zonder zich te verlagen tot persoonlijke aanvallen of stoten onder de gordel – nogal een verschil met sommigen van zijn opponenten.

Achteraf vroeg ik hoe hij het had gevonden. Verslavend, was het antwoord. 'Ik kon me er pas om twee uur 's nachts van losmaken.' Tegelijkertijd had hij zijn twijfels: 'Ik had me ingesteld op de harde taal, maar het gebrek aan inzicht in bankieren verraste me. Ter vergelijking: er zijn argumenten waarom je boksen moet verbieden. Maar lezers zeiden: "Er verdrinken steeds mensen tijdens het boksen omdat het een onderwatersport is en dus moet het verboden worden..." Zo ontspoort de discussie, want je blijft uitleggen dat boksen geen onderwatersport is. Nou ja, ik had het idee dat de discussie eerder inzicht gaf in de denkwereld van buitenstaanders dan in de bancaire sector zelf.'

Dit was de Master of the Universe op zijn best: bereid tot diep in de nacht alles te geven, absoluut eropuit ieder debat te winnen, maar zonder vals te spelen, want dan is de lol eraf. Daarom was de superquant zo fel tegen 'too big to fail' – het enige punt waarop hij volmondig pleitte voor hervormingen. Wat stelt een wedstrijd voor als je niet kunt verliezen?

Van Masters of the Universe zal de verandering niet komen, en er is maar weinig fantasie voor nodig om te bedenken dat een hypercompetitieve Master of the Universe zal proberen zo veel mogelijk hypercomplexe producten te verkopen, of met een schuin oog op de league table een pensioenfonds of woningbouwcoöperatie zal uitkleden. Vergeet het ook maar dat zulke types het voortouw nemen bij hervormingen of aan de bel trekken bij misstanden – die weigeren ze immers te zien.

Tegelijk kun je je voorstellen dat deze soort bankier in een beter ingerichte sector net zo gelukkig zal kunnen zijn. Hun drijfveer is immers niet hebzucht, maar status en geldingsdrang. Als sporters die alles doen voor een gouden medaille – niet uit obsessie met het edelmetaal goud, maar omdat ze dan op een podium mogen staan, het volkslied horen en kunnen denken: Ik was de beste.

Ook bij kwaliteitskranten heb je Master of the Universe-types, die hun ego verbinden aan hun werk en kritiek op de media zeer persoonlijk opvatten. Vaak levert dit soort journalisten uitstekend werk.

Maar goed. Masters of the Universe voelen tenminste nog de behoefte of noodzaak zich te verantwoorden.

II

De City als Zeepbel

Voor de typische 'zeepbelbankier' is werk niet de beproeving die het voor de tandenknarsers is. Het is ook niet 'uiteindelijk gewoon een baan', zoals voor neutralen, en evenmin de groots-en-meeslepende wedstrijd die Masters of the Universe-bankiers ervan maken. Voor de zeepbelbankiers is hun werk hun wereld geworden.

Dit type was alleen informeel te spreken, vluchtig en bij toeval: naast me in het vliegtuig, bij een etentje, borrel of feestje ergens in Londen. Het waren lastige en vooral korte gesprekken, want zodra ik over de crash of een schandaal begon – laat staan over de morele of maatschappelijke verantwoordelijkheid van de financiële wereld –, liep het vast. 'Hadden gewone mensen maar niet zoveel moeten lenen,' kwam er dan. Of: 'Hadden politici met al die subsidies op huizenbezit de markt maar niet moeten verstoren.' En: 'Toen de huizenprijzen nog stegen hoorde ik niemand klagen.'

Naar waarheid zei ik dan op mijn allercharmantst dat de neiging alles op 'de' bankiers te schuiven inderdaad onderdeel van het probleem is. Maar ik zag ook belangenconflicten binnen de sector, perverse prikkels...

Tandenknarsers en neutralen reageerden dan met een observatie of correctie, terwijl Masters of the Universe uitlegden dat ik in de propaganda van *banker-bashers* was getrapt. Zeepbelbankiers reageerden niet. Het was alsof ik mij buiten hun cirkel had geplaatst, waarmee de basis voor het gesprek wegviel. Zoals fanatieke fans van een voetbalclub afhaken als ze horen dat jij voor hun aartsrivaal bent.

Gelukkig viel dit type indirect wel goed te bestuderen. Via mensen die *met* ze werkten of leefden, en via personen die zeiden: Ooit was ik ook zo. Totdat ik depressief werd, of ontslagen, of verlaten door mijn partner, en terugkeerde naar 'de echte wereld'.

Het gaat verraderlijk geleidelijk, zeiden mensen terugkijkend, en het begint met de werktijden. Een paar jaar lang zit je vrijwel ieder uur dat je wakker bent op kantoor, terwijl je permanent een slaaptekort hebt. Er wordt je ingeprent: 'In deze baan kun je niet ziek zijn.' Dus hoe slecht je je ook voelt, je gaat naar kantoor. Vijf minuten te laat, nadat je gisteren pas om twee uur 's nachts klaar was? Dan word je als junior verrot gescholden.

Face time heet dit: uren maken zodat de baas ziet dat je uren maakt. Zeker in dealmaking betekent dit regelmatig een *all-nighter*: na een nacht doorhalen ga je met de taxi naar huis om te douchen, en dan terug naar kantoor. Ieder moment kan je baas je claimen, ook in het weekend, dus je kunt nooit plannen of naar een moment van gegarandeerde rust toewerken. Die knoop in je maag als tijdens een etentje met vrienden of je geliefde opeens het rode lampje van je BlackBerry begint te knipperen.

Je wordt behandeld als volkomen onmisbaar en moet zodra de bank je nodig heeft alles uit je handen laten vallen, zeiden mensen. Anderzijds kun je ieder moment worden ontslagen en het gebouw uit gebonjourd worden. Dan kan de bank opeens wél met jouw afwezigheid omgaan.

Wat er gebeurt is dat mensen tegen elkaar gaan opbieden, vertelden junioren. Hanengevechten over de grootste offers. Een junior raakt in discussie met een MD. De junior zegt: 'Voor die deal heb ik de begrafenis van mijn oma laten schieten.' Waarop de MD terugschiet: 'Ik heb de uitvaart van mijn schoonvader laten lopen!'

Of je bent op zakenreis en hoort dat een belangrijk familielid is overleden. Je baas zegt dat je terug mag vliegen, maar je voelt aan alles dat je enorm bij hem zult scoren als je blijft. Dus mis je de crematie. Of de geboorte van je kind, of het huwelijk van je boe-zemvriend. Je ouders komen speciaal voor jou over uit Australië, Argentinië of Singapore, en je moet zoveel werken dat je ze nauwe-lijks kunt zien.

Een vrouw die na twee jaar dealmaking uit eigen beweging was opgestapt, zei zonder zichtbare wrok dat ze inhoudelijk veel van haar tijd bij de bank had geleerd. 'Maar de echte les was hoe snel je jezelf kunt kwijtraken, hoe makkelijk je de slechtste versie van jezelf wordt.'

Ze was opgegroeid in Azië, waar ze vanaf haar jongste jaren ex-treme armoede had gezien. 'Je zou denken dat iemand met zo'n achtergrond zich niet snel laat meeslepen,' grinnikte ze. Maar haar frustraties kookten voortdurend over, en dat ging haar hele leven kleuren: als de chocoladereep bleef vastzitten in de automaat, de taxi te laat was, ze vast kwam te staan in het verkeer... Ze ontplofte.

'Het leven van een zakenbankier zit zo in elkaar dat je helemaal in jezelf opgaat,' zei ze. 'Je wordt egocentrisch. Ik ook. Je vergeet gewoon dat daar buiten een wereld is met echte problemen.'

Het is een ontgroening, zeiden mensen, een afvalrace van jaren, en na afloop ben je bijna al je vrienden van buiten de sector kwijt. Die trekken het op een gegeven moment niet meer dat je wéér afzegt. Zoals je ook jarenlang hooguit een seks-, maar geen liefdesleven kunt hebben.

Een jonge saleshandelaar bij een megabank vertelde tijdens een lunch in een fastfood-sushirestaurant tegenover St. Paul's Cathe-dral hoe dat gaat. Hij was midden twintig, een kerel uit de Britse arbeidersklasse die wiskunde had gestudeerd. Op zijn universiteit waren alle grote bedrijven langsgekomen met hun pitches en ver-kooppraatjes. Hij zag het startsalaris bij banken, besefte dat hij 20 000 pond studieschuld had... 'en daar ging ik'.

Dat was een paar jaar geleden. Nu keek hij naar zijn collega naast hem, een vader van begin dertig die om halfzeven 's ochtends begint en niet voor zevenen of achten 's avonds weg kan. Allemaal om zijn kinderen een betere toekomst te geven, had zijn collega gezegd. 'Ik hoor hem aan de telefoon met zijn kinderen, drie keer op een dag. Dat is zijn enige contact met ze.'

Zijn vriendin zat niet bij een bank, maar werkte net als hij tot *stupid o'clock*, zoals je dat noemt in de City. Veel werkgevers betalen je taxi als je tot na negenen werkt. Vaak was dat de enige tijd waarop ze elkaar spraken: aan de telefoon, ieder in zijn taxi. 'Echt niet dat je vriendin bij je blijft als je er nooit bent. Tenzij ze de deal oké vindt, maar wat voor relatie is dat? En als je ontslagen wordt, dumpt ze je.'

De saleshandelaar zou kort daarna zijn bank verlaten. Anderen houden vol vanuit de gedachte: Dit houdt een keer op. Inderdaad worden rond je dertigste de uren minder draconisch en zou je weer tijd hebben voor vriendschappen en contacten buiten de sector. Behalve dat op dit punt de financiële kloof met de normale wereld onoverbrugbaar is geworden.

Je moet je voorstellen, zeiden junioren, je bent tweeëntwintig en je verdient 45 000 pond plus een bonus van 30 000. Een jaar na je afstuderen.

Het punt is: binnen zes maanden ben je aan dat salaris gewend. 'Op een avondje uit gaf ik rustig 250 pond uit,' zei een dealmaker die er na twee jaar bij zijn zakenbank uit was gestapt. 'Honderd pond voor een etentje, en ik dacht oprecht: Nou, dat was niet heel duur.'

De CDO-bankier verdiende al snel per jaar meer dan zijn vader in tien jaar. Wat die daarvan vond? 'Dat kon ik hem niet vertellen. Hij werkte in de haven. Als mijn jeugdvrienden mijn inkomen wisten, zouden ze denken dat ik een oplichter was.'

Je inkomen isoleert je, zeiden mensen, net als de luxe. Het hoofd Marketing dat als alleenstaande moeder haar keuze voor de City verklaarde uit de noodzaak van een dubbel inkomen in Londen, vertelde: 'Je wordt belachelijk kieskeurig – welke luchtvaartmaatschappij, waar je eet.'

Een junior die eruit was gestapt zei dat collega's van hem altijd bezig waren met reserveringen. 'Tafel voor vier hier, tafel voor zes daar. De horeca in Londen moet dol zijn op bankiers. Sommige gasten kwamen op maandag binnen met de bonnetjes van het weekend. Duizend pond op een avondje was niks bijzonders.'

Kilian Wawoe was lang senior personeelsmanager bij een zakendivisie van ABN AMRO, schreef een zeer kritisch boek over de bonuscultuur en ging de wetenschap in. Hij had veel businessclass gevlogen, en dat doet iets met je, had hij gemerkt. 'Een rij zwetende mensen en jij loopt erlangs met je platinum kaart. Is het je opgevallen hoe vaak mensen in businessclass oogcontact zoeken met passagiers die op weg zijn naar economy? Ze willen dat jij ze ziet zitten. In economy zoekt niemand je blik.'

Jaren deelde Wawoe de bonussen uit. 'Opeens verandert bij mensen hun perspectief, ze gaan zich met een heel andere groep vergelijken. Toen ik bij de bank begon, kreeg ik geen bonus en verwachtte er ook geen. Daarna kreeg ik een keer 1000 euro. Vond ik prachtig. Een extraatje. Toen ging ik voor de bank naar Monaco, waar ze me 5000 euro beloofden als ik het goed deed. Een paar jaar later kreeg ik 30 000 euro bonus. En weet je, ik voelde me genaaid.'

De medewerker Personeelszaken die al eerder uitgebreid aan het woord kwam, had in andere bedrijfstakken gewerkt. Daar zijn afvloeiingsregelingen onvergelijkbaar minder royaal. Toch maakte ze mee dat bankiers tegen haar zeiden: 'Ik vind dat voorstel van 300 000 pond een belediging.' Mensen bij een bank worden gevormd door die bank, zei ze. 'Ze veranderen. Ik verander. Laatst hoorde m'n vriend mij bellen met iemand van mijn werk. Hij zei: "Je klinkt als een ander mens."'

*

De City lijkt soms wel ontworpen om je los te weken van de rest van de samenleving, zeiden oud-bankiers wier zeepbel was doorgeprikt. Sommigen wisten afstand te houden, en bijvoorbeeld de Bankier-van-1-Miljoen praatte over bonussen met een bijna klinische distantie. 'Het gevaar is dat je beoordelingsvermogen wordt aangetast,' analyseerde hij. 'Je maakt jezelf al heel snel wijs dat de markt ook volgend jaar omhoog zal gaan – want in zo'n *bull*-markt is de kans op een goede bonus veel groter.'

'*Money comes, money goes. But lifestyle comes, lifestyle stays,*' zeiden ook andere neutralen, oftewel: meegroeien met een stijgend inkomen is stukken makkelijker dan meekrimpen met een dalend inkomen.

Het klinkt logisch en er bestaat zelfs een vaste uitdrukking voor: *don't upgrade*. Maar nu moet je een school kiezen voor je kinderen. Stuur je ze naar de heel exclusieve die je je op dat moment kunt permitteren? Of toch naar de minder goede die je ook nog kunt betalen zonder je huidige baan?

'Het is moeilijk, hoor,' zei een quant die hoopte binnen een paar jaar de sector te verlaten. 'Je vrouw raakt gewend aan een bepaalde levensstandaard. Ik weet dat ik, ongeacht in welke sector ik terechtkom, altijd keihard zal moeten werken. Waarom dan niet toch dit werk blijven doen, dat zo extreem goed betaalt? Je kunt je voorstellen hoe zoiets loopt.'

Menig jonge bankier zei te zijn geadviseerd het uitgavepatroon op te schroeven: dure kleren, auto's, vakanties. Zo stuur je het signaal dat je 'ervoor gaat'; sparen impliceert dat je opties openhoudt. *Watch your watch* noemt de Duitse financieel socioloog Bernd Ankenbrand dit: hoe kun je een hoge bonus eisen met om je pols een horloge van 100 pond?

Een recruiter met wie ik regelmatig een broodje at, werkte veel met senior bankiers en benadrukte dat op sommige afdelingen bij prestigieuze zakenbanken auto's, huizen, boten, scholen en vakanties een essentieel onderdeel zijn van je uitstraling. 'Je hebt geen keus,' zei hij. 'Als jij bij Goldman zit, kun je niet in een charmante bouwval wonen.'

*

Veel buitenstaanders willen er niet aan, heb ik gemerkt: dat de financiële wereld voor een belangrijk deel niet bestaat uit mensen die moedwillig kwaad doen, maar uit conformisten die zichzelf überhaupt geen vragen meer stellen over goed en kwaad. Ze hebben het in hun zeepbel prima voor elkaar, en gaan alleen nog om met gelijkgezinden.

De oud-zakenbankier Rainer Voss had jarenlang zo geleefd. 'Je kinderen gaan naar dezelfde crèche als die van je collega's,' vertelt hij in de documentaire *Master of the Universe*. 'Je gaat naar dezelfde plekken met vakantie: skiën in Gstaad of naar de Seychellen of Mauritius. Het is een gesloten systeem.' Over de mensen daarbuiten zei Voss: 'Als jij 100 000 euro per maand verdient, heb je gewoon bijna niets meer gemeen.'

En in zijn memoires beschrijft oud-minister van Financiën Alistair Darling een woordenwisseling met een hoge bankbestuurder, kort na de crash. De heren kenden elkaar uit een ander verband vrij goed, en de bankier was bijzonder ontstemd over plannen van Labour om bonussen extra te belasten. 'Ik was oprecht verbaasd dat hij zo boos was,' schrijft Darling. Zijn bonus was ongeveer een miljoen pond, terwijl de rest van het land zwaar moest bezuinigen. Wat vindt je buurman hier nu van, had Darling gevraagd. 'Die vindt dat geen probleem,' zei de bevriende bankier.

Darling: Wat doet je buurman dan?

'Hij is ook bankier,' was het antwoord. 'En verdient nog aanmerkelijk meer dan ik.'

Van mensen die leven in zo'n zeepbel zal de verandering niet komen, en het is verleidelijk ze af te schrijven, en zelfs te 'ontmense-
lijken' – een kudde met goud behangen egoïsten.

Maar zo werd dit type bankiers niet beschreven in e-mails door
lezers die voor hun gevoel een broer, dochter, zoon of beste vriend
aan de bank waren kwijtgeraakt.

Dit soort lezers bleek de blog te gebruiken voor inzicht in de
wereld van hun onbereikbaar geworden dierbare. Sommigen
waren bereid tot een ontmoeting, onder wie een vrouw met een
Aziatische achtergrond van midden twintig. Toen haar verhaal
verscheen, regende het honende commentaren: *What's next*, de
postbode van een zakenbankier? Maar geen interview werd zoveel
op sociale media gedeeld.

Straks komen twee werkelijk gevaarlijke types bankiers aan bod,
nu eerst haar verhaal:

In het begin, afgelopen zomer, werkte hij van negen tot zeven
en ik had zoiets van: oké, dit is te doen. Maar bepaalde dingen
begonnen al te veranderen. Hij ging grappen maken over echt-
genotes van collega's die het geld van hun man uitgaven. Dat
de vriendin van een collega tot vier uur 's ochtends op hem had
zitten wachten. Hij bracht het als grapjes, maar het waren hints.

De eerste week dat zijn werk echt begon werkte hij tot midder-
nacht. Bizar hoe snel je je daarop instelt. Als-ie nu om tien uur
klaar is, denk ik: Wow, goed zeg.

Na mijn afstuderen ben ik weer bij mijn ouders gaan wonen.
Ze weten niet van ons. Toch moeten ze iets vermoeden nu ik
opeens om één of twee uur 's nachts telefoontjes krijg. Vroeger
belden we altijd drie kwartier tot een uur voor we gingen slapen.
Nu stuur ik hem een berichtje, want hij neemt toch niet op. Zijn
antwoord lees ik de volgende ochtend.

Vrijdagnacht slaap ik bij hem, in een appartement waar hij
met een vriend is ingetrokken. Zijn kamer heeft alleen een bed

en een klerenkast, en de keuken is te erg voor woorden. Ze zijn er toch nooit. Eén keer heb ik daar tot drie uur 's nachts op hem zitten wachten. Hij had toen nog niet eens tv of internet. Tegenwoordig plan ik mijn avond vol; ik wil niet op hem gaan zitten wachten.

Dan komt-ie thuis, heel laat, heeft zes Red Bulls gedronken en wil praten. Maar ik ben kapot. Ik zeg: We slapen lekker uit en kletsen morgen bij. Dan krijgt-ie een e-mail: 'Morgen om negen uur op kantoor.'

Ik weet nog dat we op de universiteit een keer spraken over prioriteiten. Voor mij was dat geluk: omringd worden door mensen die van je houden. Voor hem kwam dat op de tweede plaats. Op één kwam zijn werk. Hij is de liefste man van de hele wereld, en dit wil hij. Ik zie het aan hem: zijn hart ligt bij deze baan.

Soms is-ie om acht uur klaar. Dan belt-ie en heb ik het gevoel dat ik alles uit mijn handen moet laten vallen, zodat we een avond samen hebben, misschien zelfs naar een restaurant kunnen. Ik voel me dan zo dom, als ik m'n vrienden in de steek laat voor hem. Het evenwicht in onze relatie is zoek. Hij is een geweldige vent en we hadden het heel goed op de universiteit. Hij staat onder enorme druk. Zijn ouders zitten in de problemen en hij helpt ze financieel. Hij is erg gelovig en drinkt niet. Zijn ouders zeggen dat hij best mag drinken, als dat nodig is om vooruit te komen. Maar dat doet-ie niet. Zelfde met stripclubs. Mijn standpunt is belachelijk, ik weet het: zolang we niet getrouwd zijn, mag hij erheen. Daarna niet meer. Omdat hij niet drinkt, heeft-ie geen idee wat hij moet bestellen als het zijn beurt is. Dan stuurt hij een berichtje: 'Wat is een goed drankje voor een oudere man? Wat drinkt een vrouw van mijn leeftijd?'

Toen het verlossende telefoontje kwam dat hij deze baan kreeg, waren we op een station. Hij was zo door het dolle heen dat hij me optilde. Mensen dachten vast dat we een beetje raar waren. Hij had er zo hard voor gewerkt.

Hij is ongelofelijk competitief. Laatst ging het over een vriend die ook in de financiële wereld zit, maar die veel minder hoeft te werken. Hij zei: 'Maar die zit bij een shitbank, dat wil ik niet.'

Of hij gelukkig is? Een tijdje terug kreeg hij tijdens het eten een berichtje dat hij een fout had gemaakt. Hij raakte helemaal uit zijn evenwicht, kon niet meer rustig zitten... De rest van de avond ging alleen nog over werk.

Alles is nu onder voorbehoud. Als we iets plannen, zegt hij: 'Misschien moet ik het cancellen.' Hij heeft een heel sterke wil, veel sterker dan ik. O god. Weet je, hij doet echt zijn best. Maar ik heb gezegd: Luister, ik vind je baan niet oké. Als ik een bankierslifestyle ambieerde, was ik wel financiële economie gaan studeren. Ik werk in een winkel. Ik woon bij mijn ouders, heb een enorme studieschuld, sta rood... Hij heeft nu echt een heel goed salaris, kleedt zich heel goed – opeens heeft hij alle troeven in handen. Ik wil geen cadeautjes als goedmakertje dat-ie geen tijd voor me heeft. 'Laat me iets voor je kopen, dan maak ik het goed.' Zo praat hij nu.

Hij zit bij fusies & overnames, en als-ie daarover praat, verdrink ik in de afkortingen. Spreek gewonemensentaal, wil ik dan roepen. Ik heb een paar collega's van 'm ontmoet en ik kijk er niet naar uit de rest te leren kennen: Wat doe jij? – Ik zit bij een bank. En jij? – Eh... ik werk in een winkel. Die collega's zijn een soort supermensen. Zien er geweldig uit, slim, succesvol. Ik kan mezelf er niet eens toe brengen te gaan joggen als het koud is. Ik vind het niet erg dat ik anders ben, maar ze zijn echt intimiderend.

Helaas kunnen ze alleen over werk praten. Zijn huisgenoot zit op een andere afdeling bij dezelfde bank. Zo kinderachtig en saai, hoe die twee praten. Wie het hardst werkt, hoe je omhoogkomt, hoe zwaar het is – dat kan de hele nacht doorgaan. Zegt de één: 'Maar jij bent niet eens een echte handelaar.' Moet de ander zich verdedigen.

Het houdt nooit op. Zijn we een keer samen, zit-ie opeens met

India te mailen. Omdat ze voor negen uur 's ochtends iets klaar moeten hebben. Soms hoor ik dat hij die collega in India thuis belt en dwingt naar kantoor te gaan. Weer die druk. Laatst belde hij: '*My God*, ze zijn mensen aan het ontslaan, op dit moment.' Maar hij mocht blijven.

Als-ie vertelt wat-ie de hele dag doet, denk ik: Dat kan ik ook. De helft van de tijd zit-ie documenten te lay-outen, de uitlijning goed krijgen. Presentatie is kennelijk erg belangrijk bij banken. Maar het moet echt zwaar zijn. Een collega van hem kan de druk niet aan. Zit ze te huilen op de wc en moet hij een smoes verzinnen om haar afwezigheid te verklaren.

Ik ben soms bang dat ik te hard voor hem ben. Het punt is dat ik er niet over kan praten met mijn ouders; die weten niet van zijn bestaan. Mijn vrienden zijn alleen maar verbijsterd over zijn werktijden en wat dit voor ons betekent. Ik moet erachter komen wat ik echt voel. Is het oké om een etentje af te raffelen omdat hij nog naar kantoor moet? Als hij vroeger niet belde, dacht ik: Dat zet ik 'm betaald. Nu vergoelijk ik het.

Erover praten? Ik heb het gevoel dat ik hem niet eens meer kan bekritiseren. Vroeger konden we uren ruziemaken. Drie uur voor de ruzie en twee uur *silent treatment*, waarbij ik hem negeerde. Daar is gewoon geen tijd meer voor.

So there we are. Ik reis een uur heen en weer met de metro om hem een uurtje te zien. Beland in meelijwekkende wedstrijdjes met zijn familie, die hem ook willen zien. Vorige kerst had-ie vier dagen en kon-ie er niet eens eentje reserveren voor mij.

Ik zou het echt vreselijk vinden als hij door mij zijn baan verloor. Tegelijkertijd heb ik nieuwe vrienden gemaakt die ik niet eens aan hem kan voorstellen. Die denken vast dat ik een denkbeeldig vriendje heb. Ik zou hem dolgraag voorstellen aan mijn zus, maar hij kan nooit voor elven en dan ligt zij allang in bed.

Afgelopen zaterdag vroeg ik voor hij naar kantoor ging of hij dit de rest van zijn leven wilde doen. Tot mijn verbazing zei hij nee. Toen ik vroeg hoe hij zijn toekomst zag, zei hij dat-ie dat niet precies wist. Hij moet het eerst een paar jaar volhouden bij de bank. Daarna kan hij overal terecht.

12
Waanbankiers en Koele Kikkers

Op 11 september 2001 werkte hij als handelaar bij een topbank in Londen. Toen het eerste vliegtuig het World Trade Centre binnenvloog, dachten veel mensen nog aan een ongeluk. Hij belde een goede vriend in New York: zag die nog andere vliegtuigen of witte strepen aan de hemel? Zo nee, dan was het luchtruim gesloten en hielden de autoriteiten rekening met een terreuraanslag. De hemel was strakblauw en zo snel hij kon begon hij aandelen verzekeringsmaatschappijen te verkopen, aandelen luchtvaartmaatschappijen... Nog nooit had hij zo hard gewerkt als op die dag, en nooit verdiende hij zoveel geld voor zijn bank. De beurs in Londen sloot; hij wikkelde zijn papierwerk af en pas toen drong tot hem door dat hij mensen kende in de Twin Towers. 'Vrienden van mij werkten daar,' zei hij, bijna verontwaardigd. 'Geen seconde had ik daarbij stilgestaan.'

Behalve neutralen, tandenknarsers, Masters of the Universe en zeepbelbankiers zag ik in de City nog twee types. Ook deze waren alleen indirect te bestuderen, via mensen die met ze werken, of die 'het' vroeger zelf waren.

De eerste groep zou je de waanbankiers kunnen noemen, naar het Engelse *delusional*. Zij zijn niet zoals zeepbelbankiers het contact met de rest van de wereld kwijt, maar met de werkelijkheid. De handelaar hierboven had naar eigen zeggen jaren in een tunnel van werkverslaving geleefd, waarbij die avond van 11 september een keerpunt was geweest. 'Niet dat ik dramatisch de volgende dag ontslag nam, maar er veranderde wel iets.' Korte tijd later vertrok hij bij zijn bank en zocht hulp.

Wanneer waanbankiers de eerste jaren bij hun bank beschreven, klonken de meeste als Masters of the Universe: analytisch intelligent, overlopend van geldingsdrang en hypercompetitief. Vervolgens ontspoorden ze.

Kilian Wawoe had als senior personeelsmanager bij ABN AMRO met ze te maken gehad. Mensen vragen vaak wanneer bankiers eens een keer genoeg hebben, zei Wawoe, maar voor sommigen gaat hun werk niet om het geld. 'Het is een zwaar verslavend statusspel voor ze. Jouw inkomen markeert jouw status binnen de organisatie. Daarom is er nooit een verzadigingspunt.'

Zakenbankiers zien zichzelf als hyperindividualisten, blikte een vrouw over wie ik geen details mocht geven terug op haar eigen tijd bij een topbank. 'Maar als we zo keihard werken, raken we onszelf juist kwijt – het tegenovergestelde van individualiteit.'

Jaren had ze niets anders gedaan dan werken, werken, werken. In haar spaarzame vrije tijd maakte ze superintensieve avontuurlijke reizen en liep ze halve marathons om geld op te halen voor goede doelen. Alles was een wedstrijd met collega's; steeds probeerden ze meer uit elkaar te persen.

We doen het onszelf aan, benadrukte ze, en ze schetste het mechanisme. Elk jaar krijg je een 'budget': het bedrag dat je moet verdienen voor de bank. Eerst zeg je: *Guys*, dat is veel te hoog. Tegelijk voel je de uitdaging: kan ik dat? Je zegt 'ja' en dan gaat dat getal je identiteit bepalen. Je vraagt niet langer: Wat wil ik in het leven? Maar: Hoe haal ik mijn target? Zo blijf je permanent op weg naar het volgende doel, *the next step*, en leef je nooit meer in het moment zelf.

Zelf was ze ingestort en eruit gestapt, en ze volgde nu een cursus tot therapeut. Ze was erg dankbaar voor de ervaringen bij haar bank, benadrukte ze een paar keer, maar fysiek was ze er slecht aan toe geweest. Mentaal nog meer. Jarenlang was ze naar de wc gerend als het haar te veel werd. Uithuilen, diep ademhalen en doorgaan. Tot het niet meer ging.

Ontmoetingen met voormalige waanbankiers voelden soms bijna als therapie, en sommige zeiden: Het schijnt te helpen hierover naar buiten te treden. Of: Ik wil anderen wakker schudden. En: 'De helft van de klanten van mijn therapeut zit hoog in de financiële wereld. Allemaal is ze geleerd dat ziek zijn een bewijs van zwakte is, dat emoties een teken van zwakte zijn.'

Een dealmaker die decennialang beursgangen had begeleid, citeerde de dichter Philip Larkin over '*fulfillment's desolate attic*' – de kale zolder van de vervulling. 'Ik heb verhalen gelezen van atleten die na hun overwinning op het podium staan en niets voelen.' Zo was het voor hem na elke bonus. Uiteindelijk nam hij zwaar depressief ontslag, na jaren misbruik te hebben gemaakt van dezelfde belangenconflicten die tot het dot.com-schandaal hadden geleid.

Zakenbankieren noemde hij letterlijk een spel, een val en een verslaving. 'De beloning is groot maar onzeker, waardoor het spannend blijft en je blijft terugkomen. Als het geld eenmaal jouw kant op gaat stromen, is het heel, heel moeilijk je daar weer van af te wenden. Al die mensen die jouw baan willen...'

Het grote gevaar is dat je je existentiële vragen uitbesteedt aan de bank, zeiden mensen die naar eigen zeggen in een waan hadden geleefd: je leven is een succes, want je hebt je target gehaald.

'Nogal wat mensen in de financiële wereld lijden aan een soort onzekerheid en compensatiedrang,' meende een junior die was gestopt 'voor het te laat is'. 'Banken spelen daarop in door je het gevoel te geven dat bankiers volledig geslaagde mensen zijn en er geen reden is om je als bankier nog kwetsbaar te voelen.' Je kunt hier heel makkelijk in opgaan, had hij om zich heen gezien: verslaafd raken aan het werk, het geld en de bevestiging. 'Ik weet ze-ker dat dit mij ook was overkomen als ik te lang was gebleven.'

Ook Gordon Gekko uit de beroemde film *Wall Street* zou je kunnen zien als iemand die leeft in een waan. Scenarioschrijver Stanley Weiser heeft zijn personage gebaseerd op interviews met een groot aantal financiële topmensen. Op de extra's van de dvd van *Wall Street* zegt hij daarover: 'De Gekko's van deze wereld zijn mensen die volstrekt niet om kunnen gaan met het gegeven dat ze sterfelijk zijn. Het is het spel voor ze, de energie. Voortgestuwd worden door te spelen, telkens opnieuw...'

De eerste paar keer dat ik van of over een waanbankier hoorde, dacht ik: Tja, in elke beroepsgroep heb je kwetsbare figuren die ongezond vergroeien met hun werk.

Maar de financiële wereld is natuurlijk niet zomaar een bedrijfs-tak, en een handjevol verblinde personen kan immense schade aanrichten. Bij de zogeheten Libor- en FX-schandalen manipuleer-den handelaren jarenlang cruciale rentevoeten en valutawaarden. Dat was illegaal, en dat moeten ze geweten hebben, net als dat hun communicatie werd bewaard – het middle-office moet kunnen te-rugluisteren wat er is gezegd tussen handelaar en klant.

Toch stuurden deze handelaren nadat ze op verzoek een waarde hadden gemanipuleerd dit soort mails en chats naar elkaar: '*Dude. I owe you big time! Come over one day after work and I'm opening a bottle of Bollinger.*' Een handelaar vroeg zich in een bericht af hoe het mogelijk was zo makkelijk geld te verdienen, terwijl hun *messaging groups* 'het kartel' heetten, of 'de bandietenclub'.

Je kunt zeggen: Wat een schaamteloosheid. En geen moment krijg je de indruk dat deze handelaren bang waren voor risk & compliance. Maar bovenal zijn de e-mails en chats irrationeel: wel-ke crimineel feliciteert zijn maten traceerbaar met de laatste kraak?

Maar als deze handelaren in een waan leefden, wordt hun ge-drag begrijpelijk.

De Libor- en FX-schandalen waren echte schandalen, maar de belangrijkste reden om naar verblinding onder bankiers te kijken is natuurlijk de crash. Waarmee ik op het meest beangstigende interview kom.

We spraken elkaar in een Starbucks ergens in Londen. Hij was een goedlachse, onopvallende man van eind veertig. Hij had heel hoog gezeten in treasury ofwel interne geldstromen, bij een bank die ten onder ging aan de genomen risico's en moest worden 'gered'. Dit was een consumentenbank, en de praktijken die zo desastreus uitpakten zijn aangepakt. Maar het gaat om de mentaliteit die hij beschrijft.

Ik vroeg wat buitenstaanders niet begrijpen over de City, en hij zei: Hoe je de bedrijfscultuur in wordt gezogen. 'Bankiers werken in teams, en daar geldt: je bent voor ons of je bent tegen ons. Je weet dat ze je terug kunnen pakken. Niet meteen, maar de volgende ontslagronde... Wie ingaat tegen de organisatie stelt zich buiten de groep. De enigen die klokkenluiden zijn mensen met heel sterke principes. Of het maakt ze allemaal niets meer uit.'

Aangezien zijn bank destijds zoveel risico nam, stroomde het geld binnen, en hij verdiende tussen de 250 000 en 500 000 pond per jaar. 'Wij waren *on top of the world*. Risico leidt tot winst, winst tot een hogere beurskoers, en onze compensatie was daarvan afhankelijk. Het was zo *fucking* simpel om de beurskoers te manipuleren: gewoon meer risico nemen.'

Hij kon naar elk groot sportevenement ter wereld. 'Iedereen is aardig wanneer hij aan je kan verdienen. Het is dan heel verleidelijk te denken dat mensen jou aardig vinden om wie je bent.'

Intern kaartte hij het gevaar dat de bank liep wel aan. Maar je moet begrijpen, zei hij, '*nobody likes a prophet of doom*' – doemdenkers zijn zelden populair. Tegelijkertijd dacht ook hij: *What the hell*, het is niet mijn eigen geld, toch? 'Ik zag het als *a bit of a laugh*, nam het gewoon niet zo serieus allemaal. Ik had een clubje van rebellen en anti-establishment-figuren om me heen, en we maakten altijd grappen over hoe ernstig iedereen deed in de bancaire sector.'

Dit systeem kan alleen wezenlijk beter als we de amoraliteit aanpakken, zei hij. 'Maar die neiging zit in de haarvaten van het systeem. Beter toezicht? Verwacht daar niet te veel van. Wat voor regels je ook bedenkt, ze zullen altijd manieren vinden om ze te ontwijken.'

Het is in het zakenleven ook zo tegenstrijdig, ging hij verder. 'Als jij een heel goeie deal sluit door iemand te naaien, ben je de held. Ik bedoel, het draait toch om geld verdienen aan anderen? Farmaceutische bedrijven proberen je zo veel mogelijk medicijnen te laten slikken, terwijl ze zichzelf wijsmaken dat hun werk draait om mensen beter maken.'

Toch is de City uniek, zei hij na enig nadenken. 'Je zit erg dicht op elkaar. Al die pubs en bars om de hoek, waar je snel en discreet kunt afspreken. Er ontstaat een enorme speeltuin, een sociaal netwerk op een steenworp afstand. Collega's worden maatjes. Gooi daar alcohol bij en klantenentertainment, als je wordt getrakteerd door iemand die zakelijk iets van je wil. Dat is een explosieve mix. Grenzen worden erg makkelijk overschreden.'

De grens tussen goed en fout was steeds vager geworden, en moeilijker te definiëren, zei hij met de blik van nu. En er was gewoon geen tijd voor reflectie. 'Ik begon stevig te drinken. Met alcohol kun je snel je stemming veranderen of dempen, ophouden met denken. Niet dat ik me daar indertijd bewust van was.'

Ik liet een stilte vallen en wachtte tot hij die zou verbreken. Dit gaat veel verder dan de bonus, zei hij op een toon die suggereerde dat hij hier lang over had nagedacht. 'Het gaat over bijna tribale banden, erbij horen en je maatjes steunen. Steeds meer wordt je eigenwaarde bepaald door je baan. Het is de eerste vraag die veel mensen je stellen, toch? "Wat voor werk doe je?" Destijds was ik een superster. Je baan is geen werk meer. Het is een identiteit.'

Ik haalde koffie. En toen stopte je, zei ik bij terugkeer. 'Ik heb er lang over gedaan. Er waren ziljoen redenen. Een algemeen malaisegevoel, zowel persoonlijk als op het werk. Angst, absoluut – om iets belangrijks te verneuken. Omdat ik het niet zo serieus nam allemaal, deed ik niet genoeg om een *fuck-up* te voorkomen. Dat maakte me weer bang. Dan persoonlijk: wat voor iemand was ik aan het worden? Mijn huwelijk dreigde te stranden.'

Het zingen van de vogels, dollen met de kinderen... Als je zo hard werkt, zei hij, beleef je dat soort dingen niet meer, en na een tijdje vergeet je dat ze bestaan. 'Warmte en liefde geven aan je ouders... Deed ik niet meer. Ik stond er ook niet bij stil dat ik dat niet meer deed. Ik had m'n maten. Zij waren zoals ik. Ik was zoals zij.'

Dankzij therapie kwam hij eruit. 'Ik had geluk dat ik zoveel had verdiend. Een financieel trauma bleef me bespaard.' Vrienden binnen de bank zeiden: 'Blijf gewoon hier, laat je goed betalen, zing het uit.' Hij kon het niet. 'Het was existentieel geworden: waar diende dit alles toe? Raar hoe je perspectief omslaat als je er eenmaal buiten staat.'

Had hij spijt? 'Ik ga me niet uitputten in excuses – hoewel, misschien zou ik dat wel moeten doen. Als ik ergens spijt van heb, dan is het van wie ik in die jaren was. God, nu klink ik wel ongelofelijk egoïstisch.'

Het was weer even stil. 'Misschien dat sommigen zeggen: Wat een slappeling dat-ie is weggegaan. Je kunt ook denken: Wat sterk dat ik de stap zette... Mijn boodschap voor lezers in de City in dezelfde positie als ik toen? "Bekijk jezelf in de spiegel en vraag je af: Ben ik een akelige persoon aan het worden?"'

Hij zuchtte: 'Maar mensen verliezen juist het vermogen tot zelfreflectie. Ik vraag me sterk af of zo iemand überhaupt in de spiegel kijkt.'

Dit was het interview waarbij ik een paar keer dacht: Laat dit alsjeblíéft niet waar zijn.

Wie weet zijn banken zo te herorganiseren dat bankiers niet langer worden beloond wanneer ze liegen tegen hun bazen, het middle-office, accountants, kredietbeoordelaars, de toezichthouder en hun klanten. *Long term greedy* heet zo'n systeem zonder perverse prikkels: je verdient als bankier geld *met* je bank en je klanten, niet *ten koste van* ze.

Het punt is dat waanbankiers niet meer rationeel reageren op prikkels. Na het Libor-schandaal is in Groot-Brittannië een wet aangenomen die het mogelijk maakt bankiers die te veel risico nemen achteraf te vervolgen. Dat klinkt ferm, maar had dit de *treasurer* van zijn financiële dollemansrit afgehouden? Hij belazerde niet zozeer anderen, als wel zichzelf. Hoe bereik je iemand die leeft in een waan van zelfbedrog en verslaving?

Hierom pleiten financieel activisten en kritische insiders voor het radicaal opknippen, verkleinen en versimpelen van banken. We moeten 'too big to fail'-banken niet proberen zo te herorganiseren dat er nooit meer eentje ten onder gaat, zeggen ze. Nieuwe faillissementen zijn onvermijdelijk, want er zijn nu eenmaal incompetente en irrationele mensen en soms worden die ergens de baas. Het doel moet zijn de financiële wereld zo in te richten dat een omvallende bank niet meer de wereldeconomie omver kan trekken: 'Too big to fail' is *too big to exist*: wat niet failliet mag gaan, mag niet bestaan.

*

Zie de Masters of the Universe, zeepbel- en waanbankiers als het menselijk kruitvat in het hart van de financiële wereld. Het laatste type is dan de lont. Deze mensen komen het dichtst in de buurt van de spreekwoordelijke slechterik: griezels die precies weten wat ze doen.

Behalve dat zulke 'koele kikkers', zoals je ze zou kunnen noemen, geen engerds zijn. Ze zijn extreem berekenend en calculerend, en daarmee in principe onmogelijk te spreken. Wie alles terugbrengt tot een transactie en daarna enkel kijkt naar zijn eigen belang, zal per definitie niet zijn loopbaan riskeren voor een interview dat in het beste geval zo goed wordt geanonimiseerd dat niemand ooit weet dat jij het was.

Alleen op indirecte manieren leerde ik over koele kikkers, met name via bankiers die zelf zo hadden gedacht. Een paar keer lukte het ook actieve koele kikkers te interviewen, zoals de handelaar bij een megabank die publiciteit zocht voor een project en daarom bereid was, na uitgebreide garanties, af te spreken.

Hij was een prop trader die geld van de bank zelf belegde. Uiterst grondig bestudeerde hij een bepaalde markt, ontwikkelde stap voor stap en puur rationeel een view waar die markt op de lange of middellange termijn heen zou gaan, en kocht dan de beleggingsproducten die daarbij pasten. 'Dat werk is één lange les in nederigheid,' zei hij, en de beste handelaren zijn als boeddhisten: hun emoties volkomen de baas, en nooit in de greep van angst als het even tegenzit, of hebzucht als het beter gaat dan verwacht. Op Masters of the Universe keek hij erg neer. 'Als handelaar is je ego je grootste vijand.'

De prop trader had veel kenmerken van een koele kikker, maar het type in optima forma was de quant die werkte in high frequency trading ofwel flitshandel. Hij dacht erover schrijver te worden en had zich opgegeven om contact met een journalist te leggen. Ook voor hem was het interview een transactie, en daar was hij open over.

Bijna ons hele gesprek ging over flitshandel, en op zijn verhaal kwamen zoveel reacties dat ik hem opzocht voor wederhoor. Veel lezers zagen geen enkel maatschappelijk nut in flitshandel, zeker niet de variant waarin hij werkte. Intussen schiep flitshandel volgens hen wel allerlei risico's op misbruik en catastrofes.

Verklaar je nader, zei ik bij een cola, en hij veegde alles van tafel.

Handel is van alle tijden, flitshandel is legaal, en daarmee uit. 'Als anderen ervoor kiezen hun programmeertalenten in te zetten om de gezondheidszorg te verbeteren, ben ik blij voor ze. Gelukkig leven we in een land waar mensen vrij kunnen kiezen. Je hoeft het niet met de keuzes van anderen eens te zijn, maar je moet ze wel respecteren.'

Wat ik doe is legaal. Punt. Zo denkt een koele kikker, en moraal wordt dan een privékwestie, of eigenlijk: een van de opties waaruit je als mens kunt kiezen – zoals sommigen geld geven aan een goed doel, of tijdens hun studie economie het keuzevak ethiek volgen. Of niet.

Vrijheid, blijheid. Vragen over morele verantwoordelijkheid kreeg ik van koele kikkers keihard terug: wie dacht ik wel niet dat ik was? Een fatsoensrakker? Een moraalridder?

De quant leek me echt een aardige en correcte man – het tegendeel van immoreel. Hij trok simpelweg de amoraliteit van zijn sector door naar zijn eigen bestaan.

Tegelijk schiet ook bij hem hebzucht als verklaring tekort. Hij verwachtte binnen een paar jaar genoeg geld te verdienen om iets anders te gaan doen. 'Misschien terug naar de universiteit. Ik ben erg geïnteresseerd geraakt in filosofie en geesteswetenschappen.'

Van niemand leerde ik meer over koele kikkers dan van een recruiter met wie ik wel eens een glas dronk. Zelf schatte ik hem in als een neutrale, maar hij werkte veel met bankiers die passen in de categorie koele kikker. 'Veel van mijn cliënten interesseert het niet zo wat de publieke opinie is,' legde hij uit. 'Besef dat dit extreem goed opgeleide mensen zijn die meerdere talen spreken. Velen hebben op een paar continenten gestudeerd en gewerkt. Ze zijn getrouwd met iemand met een andere nationaliteit, hun kinderen hebben al op diverse continenten gewoond. Ze willen zo min mogelijk belasting betalen, en veilig zijn. Rechtszekerheid is heel belangrijk voor ze.'

Ook hij zei: Het zijn geen slechte mensen. Het zijn mensen die niet langer denken in termen van goed en slecht. Professionals.

*

Als je ze zelf afneemt, voelen tweehonderd interviews als een reusachtige klus. Op een kwart miljoen werknemers in de City is het minder dan 0,1 procent, en ongetwijfeld lopen er veel meer types rond. Maar voor mij was met de koele kikker de cirkel rond.

Ergens in dat gigantische eilandenrijk dat de zakenbank is geworden bedenkt een wiskundegenie met de mentaliteit van een koele kikker een nieuw complex financieel product. Daar is nog geen goed toezicht op, terwijl de risico's extreem moeilijk zijn in te schatten. Het product is winstgevend, de concurrentie bouwt ze ook en de top denkt: Zolang de muziek aanstaat moet je de dansvloer op. Masters of the Universe, waan- en zeepbelbankiers gaan er zo veel mogelijk van verkopen. Het middle-office laat zich overtuigen of inpakken, of kijkt tandenknarsend de andere kant uit, terwijl neutralen zich afzijdig houden...

Zo kan het weer gebeuren, en ik heb deze prognose niet van mezelf, maar van een koele kikker die was gestopt.

Wanneer ik mensen briesend hoorde verklaren dat alle bankiers monsters zijn, stuurde ik dit interview. Zei iemand dat de problemen in de financiële wereld opgelost zijn, dan deed ik hetzelfde.

Hij was midden dertig, en had na zijn studie wiskunde tien jaar bij een topbank gewerkt als bouwer en bedenker van complexe producten. Dat is een grote familie, en zijn gebied waren aandelenderivaten.

'Het is het verhaal van dokter Faust,' zei hij bij een *flat white*-koffie op de vraag waarom hij was gestopt. 'Ik verkocht mijn ziel voor wereldlijke rijkdom. De prijs die de duivel vroeg was mijn morele failliet. Lange tijd kon ik daarmee leven, toen niet meer. Het was niet één moment. Ik stelde me voor dat een zoon of dochter op een gegeven moment zou vragen: *Daddy*, wat doe jij voor werk? Wat moest ik dan zeggen? "Nou, lieverd, daddy belazert andere mensen"?'

Hij begon over caveat emptor en hoe je zonder ook maar één wet te overtreden mensen te grazen kunt nemen. 'Je hebt kleinere spelers die in wezen geen idee hebben – een of andere gast bij een spaarbank in Spanje of België, een gemeente ergens in Zweden. Waar ik na een tijd niet meer tegen kon was dat ik zulke *unsophisticated* partijen keihard voorloog.' Bovendien, zijn familie droeg premies af aan het soort pensioenfondsen dat hij te grazen nam. 'Dan dacht ik: Wow, daar gaat het geld van mijn ouders.'

Als student was hij ervan overtuigd geweest dat de overheid zich moet terugtrekken, zodat 'de markt zijn werk kan doen' – amoreel. Door de jaren heen was hij steeds kritischer geworden. 'Toezichthouders moeten veel en veel strenger worden. Ik denk er zelfs over voor ze te gaan werken. Volgens mij bedoelen ze het goed, maar de complexiteit speelt ze parten. En dan heb je de financiële lobby.'

De crash van 2008 heeft de westerse wereld zwaar beschadigd, stelde hij vast, en dat zullen we nog tien jaar voelen, minstens. 'Dit is heel groot, en het kan weer gebeuren. Ik weet zeker dat over een paar jaar ergens een slimme structurer een knappe manier ontdekt om de nieuwe regels te omzeilen. God weet wat er dan gebeurt.'

In zijn laatste jaren verdiende hij zo'n 800 000 pond. Hij had zo veel mogelijk gespaard, nooit dure auto's gekocht of zo, en daardoor was hij nu financieel binnen. Hij had nog jaren bij zijn bank kunnen blijven, maar was er uit eigen beweging uit gestapt – opnieuw een aanwijzing dat hebzucht niet alles verklaart.

Het is raar, zei hij. 'Misschien komt het doordat in onze samenleving de dood zo'n taboe is. Mensen vallen ten prooi aan de illusie dat het leven eeuwig doorgaat. Bankiers zijn heel slim, maar dat hebben ze niet door. Hun hele leven zitten ze op kantoor, terwijl alleen tijd werkelijk waardevol is. Meer geld verdienen kan altijd nog, maar je krijgt nooit meer tijd.'

Hij benadrukte nog eens dat hij niet klaagde. 'Ik heb nul respect voor mensen in de financiële wereld die klagen. Je hebt hiervoor gekozen. Een sloeber in een oorlogsgebied die van 2 dollar per dag leeft, díé mag klagen. Die heeft geen keus.'

Had hij overwogen het geld dat hij had verdiend terug of weg te geven? Hij dacht rustig na: 'Weet je, ik ben daar heel ambivalent over. Iedereen is hebzuchtig. Kijk naar de gemiddelde westerling. Als jij een t-shirt koopt voor 3 pond, denk je dan aan de stakker in Bangladesh die twaalf uur per dag werkt voor een shitsalaris om dat te maken?'

In de eerste wereld leven we met z'n allen ten koste van de andere 5 miljard, wilde hij maar zeggen. 'Als ik moet teruggeven wat ik heb verdiend, dan moet iedereen dat. Hoe zei de Bijbel het ook alweer? "Hij die zonder zonde is, werpe de eerste steen." '

Mijn lezers ontploffen als ze dit horen, zei ik, en hij knikte berustend: 'Elke periode heeft zijn zondebokken. Vandaag zijn het de bankiers. Ik kan leven met dat stigma.'

DEEL IV
GAAN WIJ HET OPLOSSEN?

13
De Lege Cockpit

De Amerikaanse schrijver Ron Rosenbaum heeft eens opgemerkt dat de meeste journalisten diep in hun hart freudianen zijn. Net als de grondlegger van de psychoanalyse geloven journalisten dat de belangrijkste dingen in de wereld verborgen worden gehouden, en met veel speurwerk dan wel therapie moeten worden blootgelegd. Vervolgens geloven journalisten net als Freud dat het aan de oppervlakte brengen van die schokkende zaken tot genezing en herstel leidt.

Het klassieke model is Watergate: president bespioneert zijn tegenstanders. Journalisten onthullen dit. President moet aftreden. Het systeem klopt weer.

Het is een mooie theorie, maar voor de mondiale financiële sector lijkt die niet op te gaan. De belangenconflicten en perverse prikkels binnen de sector liggen allang bloot. Recent nog omschreef Andrew Haldane tegenover *Der Spiegel* de balansen van grote banken als 'het zwartste aller zwarte gaten'. Haldane is de nummer 2 van de Engelse Centrale Bank, en is als toezichthouder eindverantwoordelijk voor de stabiliteit van de City. Deze man zegt hardop dat hij geen idee heeft van wat de banken bezitten.

Vervolgens gebeurt er niets.

Als journalist en schrijver beland je zo in een raar parket. Je begint met het idee dat je op zoek moet naar 'nieuws': feiten waar niemand nog van weet. Maar de belangrijkste feiten over de financiële wereld zijn al lang en breed bekend, bij insiders. Het probleem ligt dieper: de sector is immuun voor ontmaskering.

Voor schrijvers en journalisten betekent dit denk ik dat ze vooral moeten proberen de financiële wereld voor buitenstaanders begrijpelijk te maken. Veel meer mensen moeten weten hoe gevaarlijk de sector is geworden.

Dit boek is een druppel in die emmer, en wie in dit laatste hoofdstuk een masterplan verwacht, houdt zichzelf voor de gek. Een nieuw ontwerp voor de financiële wereld gaat de draagkracht van één persoon ver te boven, zeker omdat de problemen niet lijken op te houden bij de banken. Over hedgefunds komen al jaren dingen naar buiten waarvan je denkt: Dit kan niet waar zijn. Fundamenteler nog is dat de afgelopen decennia de ene zeepbel na de andere wordt gecreëerd. Met ingenieuze financiële instrumenten en producten onttrekken huishoudens en regeringen hieraan geld. Dat geven ze uit aan consumptie, waarop economen zeggen: 'Kijk, groei!'

Veel wijst erop dat de wereld van het geld geen opknapbeurt of grote schoonmaak nodig heeft, maar nieuw DNA.

Een masterplan heb ik niet, maar wel weet ik inmiddels wat níét helpt. Roepen dat een karaktertekort bij individuele bankiers het probleem is, bijvoorbeeld.

Ja, er is heel veel hebzucht in de City. Maar wie de crash en de schandalen verklaart uit persoonlijk falen, zegt impliciet: Het systeem zelf is oké, we hoeven alleen de schurken uit te roken die zich van dat systeem hebben meester gemaakt: de hebzuchtigen, psychopaten, cokesnuivers, gokverslaafden...

Mensen zijn geen schapen, en ze hebben bijna altijd keuzeruimte; vandaar dat banken in hetzelfde systeem onderling flink kunnen verschillen. Maar menselijk gedrag wordt grotendeels bepaald door prikkels, en die sturen in het huidige systeem individuele bankiers, afdelingen binnen banken en banken zelf vaak de verkeerde kant op.

Zouden we morgen de hele City naar een onbewoond eiland afvoeren en vervangen door een kwart miljoen nieuwe mensen, dan ben ik ervan overtuigd dat we in no time hetzelfde wangedrag weer zullen zien.

Het probleem is het systeem, en in plaats van individuele bankiers woedend te verwijten dat ze toegeven aan perverse prikkels, zouden we onze energie erin moeten steken die aan te pakken en weg te nemen.

Van binnenuit zal deze verandering niet komen, maar hoe zit het met de politieke partijen die dit systeem de afgelopen veertig jaar hebben laten ontstaan? Banken net zo lang laten fuseren tot ze niet meer failliet kunnen gaan. Goedvinden dat zakenbanken naar de beurs gaan of fuseren met beursgenoteerde consumentenbanken. Hypercomplexe financiële producten toelaten, en goedvinden dat deze niet centraal worden geregistreerd, en nauwelijks gereguleerd. Accepteren dat kredietbeoordelaars worden betaald door de banken wier producten ze moeten beoordelen, en dat accountantskantoren mogen bijklussen als consultant. Enzovoort.

Het probleem is dit systeem, en je zou mogen verwachten dat in alle westerse democratieën de grote politieke partijen zich hier inmiddels over hadden uitgesproken. Hetzij een overtuigend betoog waarom de status quo wel degelijk veilig en rechtvaardig is, dan wel een stip op de horizon: zus en zo ziet volgens ons een betrouwbare mondiale financiële sector eruit en als wij de verkiezingen winnen, zullen wij de volgende concrete stappen zetten.

Zo werkt democratie, in theorie, en daarom zijn journalisten freudianen: wij berichten over wat misgaat, waarna politici die wantoestanden aanpakken.

Behalve dat het na 2008 niet zo is gegaan. Op de blog verschenen in tweeënhalf jaar tienduizend reacties. Níémand schreef: 'O, was de Labour-partij maar aan de macht, want dan zou...'

Dit kwam niet voort uit apathie, denk ik. Het is veeleer een realistische inschatting dat het er niet zoveel toe doet of Labour dan wel de Conservatieven het land besturen. Zoals het wat financiële hervormingen betreft niet wezenlijk uitmaakt of in Duitsland de christen- dan wel de sociaaldemocraten regeren, in Amerika de Republikeinen of Democraten, en in Frankrijk rechts dan wel links. Ook in Nederland en België blijkt het nauwelijks verschil te maken in welke combinatie de middenpartijen ditmaal een coalitie vormen.

Waarom slagen westerse democratieën er niet in om oplossingen te formuleren voor een van de meest urgente vraagstukken van onze tijd, laat staan concurrerende visies waartussen burgers kunnen kiezen?

Bij grote partijen lopen vast een heleboel Master of the Universetypes rond die opgaan in het politieke spel en die überhaupt niet willen zien dat de financiële sector fundamenteel moet veranderen. Je hebt ongetwijfeld ook koele kikkers die heel berekenend status, privileges en contacten komen oogsten en dan weer weg zijn, zoals er anderen in een zeepbel zullen zitten of in een waan van werkverslaving verkeren.

Maar uit eigen ervaring weet ik dat er net als in banken bij politieke partijen neutralen rondlopen: mensen die goed zien wat er mis is en anders moet. Alleen zeggen zij: Wat heeft het voor zin wanneer ik als enige de strijd met de financiële sector aanbind? Wat denk je dat er met mijn positie binnen de partij gebeurt? Of met mijn partij?

Want kijk eens wat er klaarstaat voor politieke partijen en politici die wél binnen de lijntjes blijven die de financiële sector voor ze trekt. In Amerika, Frankrijk of Groot-Brittannië kunnen banken en bankiers legaal politieke invloed kopen – in de beste tradities van het verhullend taalgebruik niet 'corruptie' genoemd, maar 'campagnedonaties'.

Dan is er de immense financiële lobby, en het fenomenaal lucratieve 'sprekerscircuit'. Na hun ambtstermijn gaven de Amerikaanse minister van Financiën Timothy Geithner en de minister van Buitenlandse Zaken Hillary Clinton een aantal speeches bij Goldman Sachs waarvoor ze 200 000 dollar kregen. Per stuk.

Nice work if you can get it noemen Engelsen dat, en dit geldt nog meer voor de 'tweede carrières'. Oud-premier Tony Blair is niet de enige die als 'adviseur' bij een megabank nu tien keer meer verdient dan ooit als leider van zijn land. In Amerika en vrijwel overal in Europa krijgen de politici die eerder over de financiële sector gingen daar later lucratieve posten. Oud-premier Balkenende werd partner bij een financieel dienstverlener en voormalig minister van Financiën Zalm leidt voor iets meer dan een miljoen per jaar ABN AMRO.

In het hele Westen is de politiek steeds minder een rem op de macht van de financiële sector, en steeds meer een springplank voor individuen richting die sector.

Corruptie? Het idee dat de financiële sector de blindheid bij politici in de jaren tot 2008 heeft 'gekocht', impliceert dat de top bij banken doorhad dat het een puinhoop was. Het impliceert dat de top doorhad dat politici dit doorhadden, en dat de een daarom het stilzwijgen van de ander kocht.

Waarschijnlijker is dat de grootste politieke partijen zich samen met veel toezichthouders zijn gaan identificeren met de financiële sector, en in de greep zijn geraakt van een soort kuddegedrag waarvoor de econoom en voormalig *Financial Times*-columnist Willem Buiter de term *capture* heeft gepopulariseerd.

Bij corruptie doe je in ruil voor geld iets wat je anders niet had gedaan. Capture gaat een stap verder. Daarbij is er geen geld meer nodig, omdat je als politicus, toezichthouder of wetenschapper oprecht bent gaan geloven dat de wereld in elkaar zit zoals de bankiers 'm schetsen.

Graag had ik nu Willem Buiter geciteerd die dit in zijn magnum opus uitwerkt en onderbouwt met vergelijkende studies tussen landen en historische periodes. Helaas, dit standaardboek is er nooit gekomen. Willem Buiter werkt niet langer in de wetenschap en journalistiek. Hij is overgestapt naar de bank Citigroup.

Er is nog een belangrijkere oorzaak voor de politieke impasse voor en na 2008. Ook politieke partijen hebben hun tandenknarsers, met één verschil: ze vrezen niet zozeer voor hun eigen hachje als wel voor dat van hun land. Zij zeggen: 'Oké, stel dat mijn land als enige zijn financiële sector aanpakt. Dan vertrekken alle banken en financiële instellingen, zijn wij onze stem aan tafel kwijt, en mondiaal verandert er niets.'

Feit is dat megabanken en grote financiële instellingen mondiaal opereren, zeggen zulke politici, terwijl politiek en toezicht nationaal of hooguit regionaal zijn georganiseerd. Financiële instellingen kunnen landen en landenblokken tegen elkaar uitspelen, en dat doen ze dus, volstrekt schaamteloos: 'Hogere kapitaaleisen? Dan zijn we vertrokken.'

Hier kun je boos over worden, maar daaronder ligt de vraag of globalisering eigenlijk wel samengaat met nationale democratie. Hoe krijg je zonder een mondiale regering de mondiale financiële sector weer onder controle? En als je vindt dat zo'n wereldregering onhaalbaar of onwenselijk is, betekent dat dan niet dat mondiaal opererende financiële instellingen ook onhoudbaar zijn?

Dat is de lege cockpit.

*

Als journalist hoor je blij te zijn wanneer de wereld waarin je je hebt ondergedompeld groter, spectaculairder en relevanter blijkt dan je had verwacht. Ook journalisten en schrijvers concurreren met elkaar om aandacht van de lezer, en ook wij kennen hebzucht – al noemen we die liever gedrevenheid.

De belangenconflicten en perverse prikkels in het hart van de financiële wereld, en daarmee onze samenleving, zullen nog veel stof voor voorpagina-artikelen opleveren, maar blij kan ik hier niet van worden. Behalve een schrijver op zoek naar succes ben ik burger. Als ik tot me door laat dringen hoe wankel, amoreel en explosief de mondiale financiële sector is geworden, en hoe diep verankerd, voel ik de vertwijfeling als een soort misselijkheid opkomen. Hoe komt dit ooit weer goed, of althans onder controle?

Flink hogere kapitaalbuffers zouden banken direct veel veiliger maken, maar zelfs zo'n relatief simpele maatregel is door de mondiale lobby van banken met succes getorpedeerd. Laat staan dat er een geloofwaardig alternatief in de steigers staat voor na een volgende crash. De banken zullen de volgende crash weer winnen – gesteld dat het straks überhaupt opnieuw lukt de boel op te lappen. In dat opzicht zou het beter zijn te spreken van de 'bijna-crash van 2008'. De echte ramp is toen immers afgewend – met heel veel geld en geluk.

Zo staan we er meer dan zeven jaar na 'Lehman' voor, en intussen zit de City niet stil. Sommige bankiers hebben als werk om Europese burgers, bedrijven en overheden zo veel mogelijk geld te laten lenen. Anderen helpen die burgers, bedrijven en overheden met complexe instrumenten zulke schulden aan het zicht te onttrekken, of verkopen deze schulden op zo'n manier door dat daarna nog meer geleend kan worden. Als de zeepbel barst, komen weer andere bankiers met voorstellen om met een serie privatiseringen de gaten in de staatsbegroting te dichten.

Groot-Brittannië en Europa worden naar het evenbeeld van de City herschapen, en dit is geen samenzwering, maar het naar de toekomst doortrekken van de nu geldende prikkels; de fanatiekste bankiers zien hun werk als spel. Dat spel bestaat uit leningen verstrekken, verpakken en doorverkopen, of uit privatiseren. Hoe meer dat lukt, hoe hoger zulke bankiers stijgen in het klassement waar ze hun carrière en zelfbeeld omheen construeren.

En nu we toch aan het radicaliseren zijn: wat een *harteloze* wereld is de mondiale financiële sector geworden – en meer in het algemeen het internationale bedrijfsleven. Zoals een lezer schreef: 'Waar alle liefde is verdwenen, blijft alleen de wil tot winnen over.'

In de meritocratiecultus binnen de mondiale financiële wereld zit ook een bijna sociaaldarwinistische ondertoon, waarover de recruiter die werkte met koele kikkers iets heel raaks zei: 'Voor de nieuwe financiële elite is solidariteit niet meer verbonden met een land. Een hoogopgeleide professional in de City heeft veel meer gemeen met zijn hoogopgeleide collega in Hongkong, New York of Rio de Janeiro dan met een monoculturele, slechts één taal sprekende leraar of verpleegster in Manchester of Birmingham.'

De recruiter plaagde me er graag mee dat ik schreef voor de progressieve *Guardian*, en vervolgde met een enigszins vals lachje: 'Links eist solidariteit van iedereen in een land, dus hogere belastingen voor de rijken waarmee hun minder gefortuneerde landgenoten kunnen worden geholpen. Maar solidariteit gaat terug op een nationaal wij-gevoel waar links juist allergisch voor is; met nationale identiteit haal je chauvinisme en nationalisme binnen, en daarmee extreem rechtse engerds. Het is toch ironisch dat postmodernisten en veel denkers ter linkerzijde benadrukken dat nationale saamhorigheid een "constructie" is, dat tradities verzonnen zijn en de "volksaard" van landen op fantasie berust?' Hij keek me vriendelijk aan en haalde voor de laatste keer uit: 'Nou, de mondiale elite denkt er precies zo over.'

*

Ik voel me onveilig, zei iemand na lezing van een eerdere versie van dit boek, en ik heb mezelf de vraag gesteld of ik dit boek wel moest publiceren. Wat heeft het voor zin om de lezer achter te laten in machteloze angst, woede en verbijstering?

Maar de financiële wereld is geen ver-van-je-bedshow. Het is het bed zelf. Geld is voor een samenleving wat bloed is voor een lichaam. Te veel bloed, te weinig bloed, een verstoring van de bloedsomloop... Het kan desastreuze gevolgen hebben en daarom is nietsdoen, uit onwetendheid of ontkenning, geen optie.

Ik heb jaren in Arabische dictaturen gewerkt, en daar kunnen mensen bij misstanden weinig anders dan hun hoofd laten hangen of bij het gewapend verzet gaan. Volksopstanden lopen vast en worden neergeslagen, en de oppositie zit in zulke staten dan ook ondergronds, in het gevang of in ballingschap.

Zo klem zitten mensen in een dictatuur, maar het Westen heeft een regeervorm die zich aan de eigen haren uit het moeras kan trekken. Cynisme over de huidige *politici* bij grote partijen lijkt me terecht. Als die van plan waren de mondiale financiële sector werkelijk aan te pakken, zouden ze dat wel melden.

Maar *politiek* zelf afschrijven is oliedom. Het democratische bestel is en blijft de beste kans van gewone burgers om op vreedzame wijze de macht te heroveren op de mondiale financiële sector. Het is ook de beste kans voor de sector zelf om zich te hervormen, voor het te laat is.

Zo'n omwenteling is een enorme opgave. Maar het Westen heeft zichzelf de afgelopen tweehonderd jaar vaker met succes opnieuw uitgevonden. De afschaffing van de slavernij en de emancipatie van vrouwen vereisten veel ingrijpender maatschappelijke veranderingen dan nu met de financiële wereld nodig zijn.

Niemand profiteert meer van cynisme over politiek dan cynische politici.

Nawoord bij de Nederlandse editie

Het is verleidelijk te denken dat de City op veilige afstand ligt en de weeffouten daar niets te maken hebben met onze eigen financiële sector. Dat zou een vergissing zijn. Een nieuwe crash in het mondiale financiële systeem waarvan de City en Wall Street de centra vormen, zal Nederland en België hard raken. De City ís in veel opzichten ons financieel centrum; Brussel en de Amsterdamse Zuidas zijn bijkantoren. Hoewel ze na 2008 sterk zijn ingekrompen, hebben veel grote Nederlandse en Belgische banken vestigingen in de City, waar de logica heerst die in dit boek wordt beschreven. Zeker zo relevant is dat alle internationale topbanken 'Benelux-desks' hebben, waar zakenbankiers te midden van de hiervoor beschreven prikkels proberen zaken te doen met bedrijven, overheden en particulieren in Nederland en België.

Er zijn belangrijke verschillen. In Nederland en België geldt een veel minder stringente code of silence. Zakenbankiers hebben ontslagbescherming en beide landen zijn gezegend met een fatsoenlijk systeem van openbaar onderwijs; wie de financiële sector verlaat, hoeft niet direct de kinderen van de privéschool te halen. Na de crash heeft Nederland het voortouw genomen en accountantskantoren verboden om consultancyklussen aan te nemen bij banken waarvan ze de boeken onafhankelijk moeten controleren.

Er zijn meer verschillen, maar belangrijker zijn de overeenkom-
sten. Op de Rabobank na zijn alle grote Nederlandse en Belgische banken beursgenoteerd – of hopen dat snel weer te worden.
Daarmee zijn deze banken zowel onderhevig aan de amorele druk
van shareholder value, als aan de verleiding om met grote risico's
de beurskoers en daarmee de waarde van het eigen aandelen- en
optiepakket op te krikken.

Bij de zakenafdelingen van ING, ABN AMRO, Rabobank, Fortis
of BNP Paribas gelden dezelfde belangenconflicten als in de City
tussen de dealmakers die bedrijven naar de beurs brengen, hun
collega's die beleggers adviseren of ze in zo'n beursgang moeten
investeren, en weer andere collega's die het kapitaal van de bank of
van vermogenden beleggen.

Dit zijn ook allemaal 'too big to fail'-megabanken, met een consumentenpoot die het betalingsverkeer en spaargeld van gewone
mensen beheert, en een zakenafdeling waar veel geld kan worden
verdiend met risicovolle deals en trades.

Legale politieke corruptie ofwel 'campagnedonaties' is veel minder
gangbaar in Nederland en België dan in Groot-Brittannië, maar
dit geldt niet voor de tweede carrières van oud-politici. Ook Nederlandse oud-bewindslieden hebben prachtige banen gekregen
bij banken en financieel dienstverleners, terwijl de salarissen van
toezichthouders en ambtenaren aan de ene kant en bankiers aan
de andere ook in België en Nederland enorm kunnen zijn.

Verantwoording

De wetten van de journalistiek eisen verifieerbare informatie en citaten met naam en toenaam. Daar zijn goede redenen voor, maar rond de financiële wereld loop je met deze regels vast. Een bankier in de City die je bij naam citeert is daarmee direct een ex-bankier, terwijl 'geautoriseerde' afspraken met PR-functionarissen erbij niet snel tot onthullende uitspraken en inzichten leiden.

Dit boek kent daarom een belangrijke tekortkoming, die een rechtstreeks gevolg is van deze zwijgplicht. Vrijwel iedere geïnterviewde benadrukte dat de cultuur bij de ene bank of afdeling wezenlijk kan verschillen van de cultuur bij een andere bank of afdeling. Het probleem is dat mensen daar niet over konden praten zonder deze banken bij naam te noemen, en daarmee hun anonimiteit prijs te geven.

Hoe dit project in zijn werk ging: van de zomer van 2011 tot de herfst van 2013 sprak ik met ongeveer tweehonderd werknemers en oud-werknemers in de City. Vaak eenmalig, soms een paar keer en een enkele maal wel tien keer. Een kleine honderd van deze gesprekken verschenen online op www.theguardian.com/comment-isfree/joris-luyendijk-banking-blog en zijn daar nog steeds gratis te raadplegen.

Wie dat doet, zal ontdekken dat omwille van de leesbaarheid citaten soms zijn geredigeerd. Wie de chronologie van publicatie naast die van de 'leercurve' in dit boek legt, zal ook zien dat deze soms niet parallel lopen. Geregeld werd een bevinding later door iemand anders mooier of krachtiger geformuleerd. In zo'n geval gebruikte ik die citaten.

Enkele geïnterviewden komen door het hele boek heen aan het woord. Om de lezer niet te bedelven onder beschrijvingen of bijnamen kregen deze geïnterviewden het relevante deel van hun achtergrond mee: 'een compliance officer', 'een medewerker met tien jaar ervaring bij interne controles'.

Een sector die zo groot en complex is als de financiële wereld, met zoveel jargon en overlappende termen, is zonder hoeken af te steken niet begrijpelijk te maken voor buitenstaanders. Ik heb dingen verregaand moeten vereenvoudigen, en kan slechts hopen dat dit niet heeft geleid tot ooverversimpeling. De definitie van 'consumentenbanken' is complexer dan hoofdstuk 2 doet voorkomen, en hoewel ik Goldman Sachs een 'pure zakenbank' noem, heeft die bank sinds de crash wel een bankvergunning. Iedereen in het front-office van zakenbanken en zakendivisies van megabanken noem ik 'zakenbankiers', ook researchanalisten, treasury sales of de divisie vermogensbeheer. Ik gebruik de term dealmaker voor zowel bankiers in equity en *debt capital markets* als corporate finance en fusies & overnames. Verschillende banken hanteren net andere titulatuur, en ook de precieze indelingen tussen middle-office- en back-officeverschillen – *tax* en *legal* staan bijvoorbeeld soms apart.

Aan al deze nuances ben ik omwille van de begrijpelijkheid voorbijgegaan, zoals ik evenmin toekwam aan de belangenconflicten tussen *market-making* en prop trading, aan *hidden fee structures* bij beleggingsproducten, *tranches, shorten,* hefbomen, schaduwbankieren, risicoweging bij kapitaaleisen en fiatgeld. Hoewel het Engels spreekt van *the markets,* heb ik meestal het Nederlands gevolgd met 'de beurs' of 'de beurzen'. De twee toezichthouders werkten destijds bij de Financial Services Authority, die nu een nieuwe naam en opzet heeft.

Verder spreekt Goldman Sachs tegen dat klanten op hun handelsvloeren in Londen 'muppets' worden genoemd. Het inkomen van Tony Blair komt uit de *Financial Times*.

Een laatste woord over de positie van vrouwen in de financiële wereld.

Met name de tweedeling tussen jonge vrouwen die mordicus tegen quota zijn en oudere vrouwen die er juist voor pleiten, had ik graag een plek in dit boek gegeven. Uiteindelijk heb ik het glazen plafond niet behandeld, omdat de kern van het probleem volgens mij belangenconflicten en perverse prikkels zijn, niet het geslacht van degenen die hierop reageren. Het kan goed dat mannen gemiddeld genomen anders reageren op alle verleidingen dan vrouwen. Daarop doelde IMF-directeur Christine Lagarde wellicht met een van de mooiste quotes die ik ben tegengekomen: 'Wat als het Lehman Sisters was geweest?'

Voor correcties & aanvullingen en een leeslijst voor wie meer wil weten: www.jorisluyendijk.nl

Dankwoord

Meer dan tweehonderd insiders riskeerden hun baan of afvloeiings-regeling voor een interview. Dank jullie wel! Ik hoop oprecht dat ik binnen alle beperkingen recht heb gedaan aan jullie woorden.

Onschatbare dank verder aan Alan Rusbridger voor deze onge-lofelijke kans, en aan Charlotte en Nick bij *production*, Philip en David bij *comment*, en Stephen, Ian, Matt, Wolfgang, Chris (El-liott & Moran), Aditya, Madeleine en Keren. *Banking editor* Jill Treanor was enorm aardig.

Dank verder Hein Greven, Jan Maarten Slagter, Ewald Engelen, Rob Wijnberg, Hans Nijenhuis, Anni van Landeghem en William de Bruijn. Mijn moeder, Marc, Annedien en Sabine voor de pieds à terre, en voor alle vertrouwen en aanmoediging: Vera, Wouter, Jos, Lisa en Simon.

Dank aan mijn agent Andrew Nurnberg, en aan Atlas Contact voor de sublieme begeleiding; Tilly Hermans is zo goed als men zegt. Fouten blijven voor mijn rekening, maar Amba Zeggen, Pe-ter van Ees, Thomas Mosk, Wouter Elsenburg en drie anonieme weldoeners behoedden me voor missers waar ik nog wakker van kan liggen. Toon van de Put was weer groots.

Soms eindigt dit soort dankwoorden met een verkapt excuus: Sor-ry dat papa anderhalf jaar onaanspreekbaar was, maar kijk eens wat een mooi boek! Ik hoop echt dat in dit geval zo'n excuus niet nodig is.

Register

DIT KAN NIET WAAR ZIJN